JOSEPH JACOBS

Tradução
Dorothea De Lorenzi Grinberg Garcia

CONTOS DE FADAS Ingleses

Principis

Esta é uma publicação Principis, selo exclusivo da Ciranda Cultural
© 2020 Ciranda Cultural Editora e Distribuidora Ltda.

Traduzido do original em inglês
English fairy tales

Texto
Joseph Jacobs

Tradução
Dorothea De Lorenzi Grinberg Garcia

Preparação
Mirtes Ugeda Coscodai

Revisão
Agnaldo Alves
Fátima Couto
Fernanda R. Braga Simon

Produção editorial e projeto gráfico
Ciranda Cultural

Diagramação
Fernando Laino Editora

Imagens
Svetocheck/Shutterstock.com;
KateVogel/Shutterstock.com

Dados Internacionais de Catalogação na Publicação (CIP) de acordo com ISBD

J17c   Jacobs, Joseph

Contos da fadas ingleses / Joseph Jacobs ; traduzido por Dorothea De Lorenzi Grinberg Garcia. - Jandira, SP : Principis, 2020.
192 p. ; 15,5cm x 22,6cm. - (Literatura Clássica Mundial)

Tradução de: English Fairy Tales
ISBN: 978-65-5552-196-2

1. Literatura infantojuvenil. 2. Contos. I. Garcia, Dorothea De Lorenzi Grinberg. II. Título. III. Série.

CDD 028.5
CDU 82-93

2020-2572

Elaborado por Vagner Rodolfo da Silva - CRB-8/9410

Índice para catálogo sistemático:
1. Literatura infantojuvenil 028.5
2. Literatura infantojuvenil 82-93

1ª edição em 2020
www.cirandacultural.com.br
Todos os direitos reservados.
Nenhuma parte desta publicação pode ser reproduzida, arquivada em sistema de busca ou transmitida por qualquer meio, seja ele eletrônico, fotocópia, gravação ou outros, sem prévia autorização do detentor dos direitos, e não pode circular encadernada ou encapada de maneira distinta daquela em que foi publicada, ou sem que as mesmas condições sejam impostas aos compradores subsequentes.

Sumário

Como entrar neste livro 7

Prefácio 9

Tom Tit Tot 13
A roseira 19
A velha e seu porco 23
Como Jack saiu em busca da fortuna 26
O sr. Vinagre 29
Nada 33
Jack Hannaford 39
Binnorie 42
O rato e a gata 45
Capa de Junco 47
Pequenina 52
Jack e o pé de feijão 54
A história dos três porquinhos 61
O mestre e seu aprendiz 65
O rato Titty e o rato Tatty 68
Jack e sua caixa de rapé de ouro 71
A história dos três ursos 81
Jack, o matador de gigantes 85

Henny-penny 97
O jovem Rowland 100
Molly Whuppie 107
O gigante vermelho 112
O braço de ouro 118
A história do Pequeno Polegar 120
O sr. Fox 126
Jack Preguiçoso 130
Johnnycake 133
A filha do conde Mar 136
O sr. Miacca 140
Whittington e sua gata 143
O estranho visitante 152
A Lesma-Dama Gigante do penhasco de Spindleston 155
O gato e o rato 160
O peixe e o anel 162
O ninho da pega 166
Kate Quebra-Nozes 168
O rapaz frio de Hilton 172
O asno, a mesa e o galho 174
O unguento das fadas 178
O Poço do Fim do Mundo 181
Amo de todos os amos 185
As três cabeças do poço 187

Como entrar neste livro

Bata na aldrava da porta,
Toque o sino do lado,
Então, se você ficar bem quietinho, ouvirá uma vozinha dizer pelas grades: "Pegue a chave". Você a encontrará atrás: não dá para se enganar, pois tem as iniciais J. J. Enfie a chave no buraco da fechadura, e ela se encaixará perfeitamente. Destranque a porta e

ENTRE

Para minha Querida Pequena May

Prefácio

Quem disse que o povo inglês não possui seus próprios contos de fadas? Este livro contém apenas uma seleção de contos que rastreei neste país. Provavelmente muitos outros existem.

Um quarto das histórias deste volume foi coletado durante os últimos dez anos mais ou menos[1], e algumas não foram até hoje publicadas. Até 1870 se dizia que França e Itália não tinham contos populares. Entretanto, quinze anos após essa data, mais de mil contos foram coletados em cada um desses países. Espero que este volume incentive a todos os leitores deste livro que conheçam contos ingleses que nos enviem, escritos do jeito que foram contados, aos cuidados do sr. Nutt. Imagino que o único motivo para esses contos não terem sido trazidos até hoje ao conhecimento do público é o enorme abismo entre as classes governantes e os registradores de contos, e as classes operárias silenciosas do país – silenciosas para as outras classes, mas eloquentes entre si. Seria uma tarefa patriótica ajudar a construir uma ponte, fornecendo um acervo comum de literatura infantil

---
[1] O autor refere-se à primeira edição do livro. (N.T.)

para todo o povo inglês, e, de qualquer modo, não faria mal enriquecer a alegria inocente da nação.

Algumas palavrinhas sobre o nosso título parecem necessárias. Denominamos nossas histórias *Contos de fadas*, embora poucas delas falem de fadas[2]. O mesmo comentário se aplica à coleção dos Irmãos Grimm e a todas as outras coleções europeias, as quais contêm exatamente o mesmo tipo de contos: entretanto, nossas histórias são o que as crianças querem dizer quando se referem a "contos de fadas", e esse é o único nome que lhes dão. Ninguém consegue imaginar uma criança pedindo "conte um conto popular, babá", ou "outra história da carochinha, por favor, vovó". Como nosso livro tem como público as crianças, indicamos seu conteúdo pelo nome que elas usam. As palavras "contos de fadas" devem obrigatoriamente incluir os contos em que ocorra algo "mágico, de fada!", algo extraordinário: fadas, gigantes, gnomos, animais falantes. E devem também conter contos nos quais o extraordinário é a estupidez de alguns personagens. Muitos dos contos deste livro, como em coleções similares de outros países europeus, são os que os folcloristas chamam de *drolls*, ou engraçados. Eles servem para justificar o título de "Inglaterra Festiva", que costumava ser dado ao nosso país e que indica a inocente capacidade de diversão e humor das classes iletradas.

O significado de nosso título também pede uma explicação. Sigo o princípio de Molière e procuro o bom em tudo que encontro. Portanto, duas dessas histórias foram encontradas entre descendentes de imigrantes ingleses na América; algumas outras eu as conto como ouvi na minha juventude, na Austrália. Uma das melhores saiu da boca de uma cigana inglesa. Também incluí algumas histórias que só foram descobertas nas Terras Baixas escocesas. Também resgatei e recontei alguns contos de fadas que só existem hoje em dia na forma de baladas. Existem alguns indícios de que a "forma comum" dos contos de fadas ingleses era a da *cante-fable*, uma mistura de narrativa e verso cujo exemplo mais ilustrativo

---

[2] Sobre recentes comentários a respeito de fadas e contos sobre fadas, vejamos as Notas.

na literatura é "Aucassin et Nicolette". Em um dos casos me esforcei por manter essa forma, já que o conto no qual ocorre, "O jovem Rowland", é mencionado por Shakespeare em *Rei Lear* e é provavelmente, como mostrei, a fonte para *Comus*, de Milton. Apesar de coletados tardiamente, cerca de uma dúzia dos contos remonta ao século XVI, tendo dois deles sido citados pelo próprio Shakespeare.

Na maioria dos casos tive que reescrever muitos desses contos de fadas, em especial os que estavam em dialeto, incluindo o escocês das Terras Baixas[3]. As crianças, e às vezes pessoas mais velhas, não leem em dialetos. Também precisei resumir a extensa fraseologia da literatura de cordel do século XVIII e reescrever em estilo mais simples as histórias apenas existentes em inglês "literário"; entretanto, deixei algumas vulgaridades na boca de personagens vulgares. As crianças apreciam o valor dramático disso tanto quanto os adultos. Em termos gerais, minha intenção foi escrever como uma velha e boa ama fala quando narra contos de fadas. Não tenho certeza se fui bem-sucedido em captar o tom coloquial-romântico apropriado para tais narrativas; a coisa tinha que ser feita ou meu principal objetivo, de entregar um livro de contos de fadas ingleses que as crianças inglesas pudessem ouvir, não seria possível. Este livro foi feito para ser lido em voz alta, e não apenas para si mesmo.

Em alguns casos acrescentei ou mudei um incidente. Entretanto, nunca fiz isso sem deixar mencionado nas Notas, que foram relegadas à obscuridade das letras miúdas em um lugar secundário, enquanto as crianças menores foram, talvez desnecessariamente, advertidas sobre elas. As Notas indicam minhas fontes e fazem algumas referências aos paralelos e variantes que podem ser do interesse de colegas estudantes do folclore.

Finalmente, preciso agradecer àqueles que, com sua generosidade, abriram mão de seus direitos sobre algumas dessas histórias, permitindo-me

---

[3] Talvez valha a pena enfatizar que os Irmãos Grimm fizeram o mesmo com suas histórias. "*Das der Ausdruck*", dizem eles em seu prefácio, "*und die Ausführung des Einzelnen grossentheils von uns herrührt, versteht sich von selbst*". Posso acrescentar que muitas de suas histórias foram tiradas de fontes impressas. (N.A.)

assim compilar este livro. Desse modo, meus amigos sr. E. Clodd, sr. F. Hindes Groome e sr. Andrew Lang entregaram-me algumas das histórias mais atraentes que se encontram nestas páginas. Os Conselhos das Sociedades Folclóricas Inglesa e Americana e os srs. Longmans também foram igualmente generosos. E também não posso encerrar estes comentários sem uma palavra de agradecimento e elogio para a capacidade artística com que meu amigo sr. J.D. Batten fez reviver o romance e o humor dessas histórias com os desenhos maravilhosos com os quais adornou estas páginas, e devo acrescentar que as lindas vinhetas para "Henny-Penny" e "O sr. Fox" são obra de meu velho amigo sr. Henry Ryland[4].

Joseph Jacob

---

[4] O autor refere-se à edição original. (N.T.)

Tom Tit Tot

Era uma vez uma mulher que assou cinco tortas. E, quando as tortas saíram do forno, estavam tão assadas, com as crostas tão duras, que não era possível comê-las. Então, ela disse para a filha:

– Coloque essas tortas na prateleira e deixe-as lá um pouco para que fiquem boas.

Vocês sabem, claro, que o que a mulher queria dizer era que a crosta ficaria macia.

Mas a menina pensou: "Ora, se elas vão ficar boas, já vou comê-las agora".

E, dito e feito, comeu todas as tortas, da primeira à última.

Até que chegou a hora do jantar, e a mulher disse para a filha:

– Traga uma das tortas. Acho que já estão macias.

A menina foi, olhou e viu que não havia mais nada além das travessas. Então voltou e disse:

– Nããoo, não ficaram macias.

– Nenhuma delas? – perguntou a mãe.

– Nenhuma delas – respondeu a filha.

– Não importa, macias ou não – disse a mulher –, comerei uma no jantar.
– Mas não pode comê-las se elas não ficaram boas – replicou a menina.
– Sim, posso – teimou a mulher. – Vá lá e pegue a melhor.
– Melhor ou pior – respondeu a menina –, comi todas elas, e você não poderá comer nenhuma até assar outras.

A mulher não tinha mais o que fazer, então pegou a roca de fiar, levou até a porta de casa e, enquanto fiava, ia cantando:

Minha filha comeu cinco, cinco tortas hoje.
Minha filha comeu cinco, cinco tortas hoje.

O rei vinha descendo a rua e a ouviu cantar, porém não conseguiu entender as palavras, então parou e perguntou:
– O que é que estava cantando, minha boa mulher?
A mulher teve vergonha de que ele soubesse o que a filha fizera e mudou a letra da canção:

Minha filha fiou cinco, cinco meadas hoje.
Minha filha fiou cinco, cinco meadas hoje.

– Minha nossa! – exclamou o rei. – Nunca ouvi dizer que alguém pudesse fazer isso.
Então acrescentou:
– Olhe aqui, quero uma esposa e vou me casar com sua filha. Mas preste atenção – falou, muito sério. – Durante onze meses no ano ela terá tudo o que quiser comer, todos os vestidos que desejar e todas as amizades que lhe agradarem; mas no último mês terá de fiar cinco meadas de linho todos os dias, e, se não o fizer, eu mandarei matá-la.
– Está acertado! – exclamou a mulher, pensando apenas no grande casamento que seria. Quanto às cinco meadas, quando chegasse a hora haveria muitas maneiras de escapar disso, e era muito provável que o rei até lá já tivesse se esquecido da promessa.

Então, os dois se casaram. E por onze meses a moça teve tudo o que desejava comer, todos os vestidos que lhe agradaram e todas as amizades que quis.

Porém, quando o tempo foi se esgotando, ela começou a pensar nas meadas, imaginando se o rei ainda se lembrava delas. Como o marido nada dizia sobre o assunto, ela concluiu que ele se esquecera da história.

Então, no último dia do décimo primeiro mês, ele a levou para um quarto que a moça nunca vira antes. Nada havia ali, a não ser uma roca e um banquinho. E o rei disse:

– Agora, minha querida, a partir de amanhã ficará fechada aqui com algum alimento e linho, e, se não tiver fiado cinco meadas até a noite, cortarei sua cabeça.

E foi embora cuidar dos seus afazeres.

A moça, que sempre fora muito medrosa, ficou apavorada, porque não sabia fiar, e o que faria no dia seguinte sem ninguém que viesse ajudá-la à noite? Sentou-se em um banquinho na cozinha e... como chorou!

Porém, de repente, ouviu uma batida leve na porta, levantou-se e foi abrir. Para sua surpresa, deparou-se com uma criatura negra, muito pequena, com uma longa cauda. A criatura ergueu os olhos para ela com curiosidade e perguntou:

– Por que está chorando?

– O que você tem a ver com isso? – ela respondeu.

– Não importa, mas diga-me por que está chorando.

– De nada vai adiantar se eu lhe contar – a moça respondeu.

– Não pode saber se não me contar – disse a criatura, girando a cauda.

– Escute, não vai fazer nem bem nem mal se eu lhe contar – ela disse, e contou à criatura tudo o que se passara: as tortas, as meadas para fiar o casamento e tudo o mais.

– Vou fazer o seguinte – disse a criatura –, virei até sua janela todas as manhãs, levarei o linho e o trarei de volta já tecido à noite.

– Quanto vai querer por isso? – ela perguntou.

A criatura a fitou com o canto do olho e respondeu:

– Todas as noites eu lhe darei três chances de adivinhar meu nome, e se não adivinhar até o fim do mês você será minha.

Ela pensou que com certeza adivinharia o nome antes de o mês terminar.

– Está certo – disse –, concordo.

– Muito bem! – exclamou a criatura, e como aquela cauda balançou!

No dia seguinte o rei, seu marido, levou a moça para o quarto, e lá estavam o linho para tecer e a comida do dia.

– Aí está o linho – disse ele –, e se tudo não estiver fiado hoje à noite, deceparei sua cabeça. – Então saiu e trancou a porta.

O rei mal saíra quando ela ouviu uma batida na janela.

Levantou-se e foi abrir. Lá estava a criaturinha velha, sentada no parapeito.

– Onde está o linho? – ela perguntou.

– Aqui – ela respondeu. E lhe entregou.

Assim que a noite caiu, ela ouviu novamente uma batida na janela. A moça se levantou e foi abrir, e lá estava a criaturinha velha com cinco meadas de linho tecido nas mãos.

– Eis aqui – disse ela, entregando para a moça. – Agora, qual é meu nome? – perguntou.

– Será Bill? – ela tentou.

– Nããão, não é – disse ela, torcendo a cauda.

– Bem, é Ned? – ela continuou.

– Nããão – a criatura respondeu, balançando a cauda.

– Será Mark? – ela perguntou.

– Nããão!!! – Ela torceu a cauda ainda mais e pulou da janela, desaparecendo.

Quando o rei voltou, ela lhe entregou as meadas fiadas.

– Vejo que não vou precisar matá-la hoje à noite, minha querida – ele disse. – Vai ganhar sua comida e seu linho pela manhã – concluiu, e lá se foi.

Todos os dias, a comida e o linho para tecer eram trazidos, e todos os dias a criatura aparecia de manhã e à noite. E o dia inteiro a moça passava tentando adivinhar o nome. Porém, quanto mais o final do mês se aproximava, mais a criatura se tornava maligna, girando a cauda muito depressa toda vez que ela dizia um nome.

Por fim chegaram ao penúltimo dia do mês. A criatura veio à noite com as cinco meadas tecidas e perguntou:

– E então? Ainda não adivinhou meu nome?

– É Nicodemus? – ela tentou.

– Nãããão é.

– Sammle?

– Nãããão também.

– Ah... será Matusalém? – a moça perguntou.

– Não, também não é – a criatura respondeu, fitando-a com olhos que pareciam brasas quentes. – Mulher, só resta amanhã à noite, e depois você será minha! – exclamou e foi embora voando.

Ali, sozinha, a moça ficou apavorada, mas ouviu os passos do rei se aproximando e se recompôs. Ele entrou e, quando viu as cinco meadas, disse:

– Ouça, minha querida, acho que terá as cinco meadas prontas amanhã à noite também, e, como vejo que não terei que matá-la, hoje jantarei aqui. – Então trouxeram o jantar e outro banquinho para o rei, e o dois se sentaram.

O rei mal comera uma garfada, quando parou e começou a rir.

– O que aconteceu? – ela perguntou.

– Ah – ele disse –, hoje, quando saí para caçar, cheguei a um lugar na floresta que nunca vira antes. Lá havia um fosso, e ouvi alguém cantarolar. Então desci do meu cavalo e me encaminhei para o fosso sem fazer barulho. Quando olhei para baixo, o que foi que vi? A criaturinha negra mais engraçada que se possa imaginar, e o que fazia? Tinha uma roca pequenina e tecia com uma rapidez enorme, balançando a cauda. E enquanto tecia cantava:

Nimmy nimmy not
Meu nome é Tom Tit Tot.

Quando a moça ouviu aquilo, sentiu que poderia morrer de felicidade, mas nada disse.

No dia seguinte, a criatura parecia ainda mais maligna ao vir buscar o linho. Quando a noite caiu, a moça ouviu a batida no vidro da janela. Ela abriu a janela, e a criatura pulou na soleira. Sorria de orelha a orelha, e, oh, a cauda se retorcia muito, muito depressa.
– Qual é o meu nome? – perguntou, entregando as meadas prontas.
– É Salomão? – ela perguntou, fingindo medo.
– Nãão, não é – a criatura respondeu e pulou para dentro do quarto.
– Será Zebedeu? – ela tentou de novo.
– Não é. – A criatura riu e moveu a cauda com tal velocidade que nem dava para ver. – Vá com calma, mulher! – falou bem alto. – Mais uma tentativa e será minha – e esticou as mãos negras para agarrá-la.

A moça deu dois passos para trás, olhou a criatura bem dentro dos olhos e, apontando o dedo para ela, exclamou:

Nimmy nimmy not, seu nome é
Tom Tit Tot!

Ao ouvir seu nome, a criatura soltou um grito horrível e voou para fora, perdendo-se na escuridão. A moça nunca mais a viu.

A roseira

Era uma vez um bom homem que tinha dois filhos: uma menina do primeiro casamento e um menino do segundo. A menina era branca como leite, e seus lábios pareciam cerejas. Seus cabelos lembravam seda dourada e caíam até o chão. Seu irmão a amava muito, porém a madrasta malvada a odiava.

– Criança – disse a madrasta certo dia –, vá até a mercearia e compre quatrocentos gramas de velas. – Deu-lhe o dinheiro, e a pequenina foi e comprou as velas. Quando começava a voltar para casa, precisou subir alguns degraus para passar por uma cerca. Ela colocou as velas no chão, e, enquanto subia os degraus, surgiu um cachorro e roubou as velas.

A menina voltou à mercearia e comprou mais um maço de velas. Voltou até a cerca, apoiou as velas no chão, começou a subir os degraus, mas então veio o cachorro e fugiu novamente com as velas.

Ela voltou à mercearia e pagou por um terceiro maço de velas; e a mesma coisa aconteceu. Então, chorando, contou para a madrasta que gastara todo o dinheiro e que perdera três maços de velas.

A madrasta ficou furiosa, porém fingiu não ligar para a perda. Disse à criança:

– Venha, deite a cabeça no meu colo, que vou pentear seus cabelos.

Então a pequenina obedeceu e apoiou a cabeça no colo da mulher, que começou a pentear seus sedosos cabelos dourados, que caíam sobre seus joelhos e iam até o chão.

E a madrasta odiou a menina ainda mais pela beleza de sua cabeleira; então disse:

– Não consigo repartir seus cabelos com você deitada nos meus joelhos; vá pegar um tronco de madeira.

Então a menina obedeceu, e a madrasta disse:

– Não consigo repartir seu cabelo com o pente; vá pegar um machado.

– E a menina foi.

– Agora – disse a mulher malvada –, apoie a cabeça no tronco enquanto separo seus cabelos.

A pequena obedeceu sem medo, e *zap*! O machado desceu, cortando sua cabeça. A madrasta limpou o sangue do machado e riu.

Depois arrancou o coração e o fígado da menina, fez um ensopado com eles e serviu no jantar. O marido provou e balançou a cabeça, dizendo que o gosto era muito estranho. A mulher serviu um pouco para o menino, que não quis comer; ela tentou forçá-lo, mas ele recusou e correu para o jardim. Ali encontrou o corpo da irmãzinha e o colocou em uma caixa, enterrando-o debaixo de uma roseira; e todos os dias ia até lá e chorava, até que suas lágrimas penetraram na caixa.

Certo dia a roseira floresceu. Era primavera, e entre as flores havia um passarinho branco que cantava, cantava, cantava como um anjo vindo do céu. Depois ele voou e foi até a oficina de um sapateiro. Ao pousar em uma árvore ali perto, começou a cantar:

Minha madrasta má me matou,
Meu querido pai me comeu,
Meu irmãozinho amado
Senta-se aí embaixo, e eu canto aqui em cima.
Pau e pedra, sou dura na queda.

– Cante de novo essa linda canção – pediu o sapateiro.
– Só se você me der esses sapatos vermelhos que está fazendo.

O sapateiro lhe deu os sapatos, e o passarinho cantou a canção; depois voou até uma árvore perto de um relojoeiro e cantou:

Minha madrasta má me matou,
Meu querido pai me comeu,
Meu irmãozinho amado
Senta-se aí embaixo, e eu canto aqui em cima.
Pau e pedra, sou dura na queda.

– Oh, que música linda! Cante de novo – pediu o relojoeiro.
– Então me dê esse relógio de ouro com corrente que está na sua mão.
– E o homem entregou o relógio com a corrente.

O pássaro o agarrou com um pé, enquanto segurava os sapatos com o outro, e, após repetir a canção, voou até o lugar onde três moleiros trabalhavam junto à pedra do moinho. O pássaro pousou em uma árvore e cantou:

Minha madrasta má me matou,
Meu querido pai me comeu,
Meu irmãozinho amado
Senta-se aí embaixo, e eu canto aqui em cima.
Pau!.

Um dos homens baixou sua ferramenta e ergueu os olhos do trabalho.

Pedra!

Então o segundo moleiro baixou a sua ferramenta e ergueu os olhos do trabalho.

Queda!

O terceiro moleiro baixou sua ferramenta e ergueu os olhos.

Morta!

E os três exclamaram a uma só voz:
– Oh, que linda canção! Cante de novo, doce pássaro.
– Só se colocarem a pedra do moinho em volta do meu pescoço – pediu o pássaro.

Os homens fizeram o que ele queria, e o pássaro voltou para a árvore com a mó em volta do pescoço, os sapatos vermelhos presos a um pé e o relógio de ouro com a corrente no outro. Cantou a canção e depois voou para casa. Raspou a pedra do moinho no beiral da casa, e a madrasta lá dentro disse:
– Está trovejando.

Então o menino saiu para ouvir o trovão, e o pássaro soltou os sapatos vermelhos aos seus pés. Mais uma vez raspou a pedra do moinho no beiral, e a madrasta repetiu:
– Está trovejando.

Então o pai correu para fora de casa, e a corrente do relógio caiu aos seus pés.

Pai e filho riram e gritaram:
– Vejam que coisas boas o trovão nos trouxe!

Então o pássaro voltou a raspar a pedra do moinho no beiral da casa pela terceira vez, e a madrasta disse:
– Troveja de novo, quem sabe o trovão também me trouxe alguma coisa – e correu; mas, assim que pôs os pés para fora da porta, a pedra do moinho caiu na sua cabeça, e ela morreu.

A velha e seu porco

Uma velha estava varrendo a casa e encontrou uma moeda meio torta de seis *pence*.

– O que – ela se perguntou – farei com esses seis *pence*? Vou ao mercado comprar um porquinho.

Enquanto voltava para casa, chegou a um muro com degraus; mas o porquinho não quis subir.

Ela avançou mais um pouco e encontrou um cachorro, e então lhe pediu:

– Cachorro! Morda o porco; ele não quer subir no muro, e não conseguirei voltar para casa antes do anoitecer.

Mas o cão não obedeceu.

Ela caminhou mais um pouco, encontrou um pedaço de pau e ordenou:

– Pau! Pau! Bata no cachorro! Ele não quer morder o porco; o porco não quer subir no muro, e não chegarei a minha casa antes do anoitecer.

Mas o pau recusou.

A velha avançou mais um pouco e encontrou uma fogueira, então pediu:

– Fogo! Fogo! Queime o pau; ele não quer bater no cachorro; o cachorro não quer morder o porco; o porco não sobe o muro, e não conseguirei voltar para casa hoje à noite.

Mas o fogo também recusou.

A velha caminhou mais um pouco e encontrou água. Então exclamou:

– Água! Água! Apague o fogo; o fogo não quer queimar o pau; o pau não quer bater no cachorro; o cachorro não quer morder o porco; o porco não quer subir no muro, e não chegarei a minha casa nesta noite.

Mas a água não obedeceu.

Ela caminhou mais um pouco e encontrou um boi. Pediu:

– Boi! Boi! Beba a água; a água não quer apagar o fogo; o fogo não vai queimar o pau; o pau não quer bater no cachorro; o cachorro não quer morder o porco; o porco não quer subir no muro; e não chegarei a minha casa antes do anoitecer.

Mas o boi também recusou.

Ela caminhou mais um pouco e encontrou um açougueiro. Então pediu:

– Açougueiro! Açougueiro! Mate o boi; ele não quer beber a água; a água não vai apagar o fogo; o fogo não vai queimar o pau; o pau não vai bater no cachorro; o cachorro não quer morder o porco; o porquinho não quer subir no muro; e eu não vou chegar a minha casa nesta noite.

Mas o açougueiro não quis ajudá-la.

A velha caminhou mais um pouco e encontrou uma corda. Então ordenou:

– Corda! Corda! Enforque o açougueiro; ele não quer matar o boi; o boi não quer beber a água; a água não vai apagar o fogo; o fogo não vai queimar o pau; o pau não quer bater no cachorro; o cachorro se recusa a morder o porco; o porquinho não sobe o muro; e eu não chegarei a minha casa nesta noite.

Mas a corda não a atendeu.

A velha seguiu mais um pouco e encontrou um rato. Pediu:

– Rato! Rato! Roa a corda; ela não quer enforcar o açougueiro; o açougueiro não quer matar o boi; o boi não vai beber a água; a água não vai apagar o fogo; o fogo não vai queimar o pau; o pau não vai bater no cachorro; o cachorro não quer morder o porco; o porco não vai subir no muro; e eu não irei para casa nesta noite.

Mas o rato não lhe obedeceu.

Ela seguiu mais um pouco e encontrou um gato, então exclamou:

– Gato! Gato! Mate o rato; ele não quer roer a corda; a corda não quer enforcar o açougueiro; o açougueiro não vai matar o boi; o boi não vai beber a água; a água não quer apagar o fogo; o fogo não quer queimar o pau; o pau não quer bater no cachorro; o cachorro não quer morder o porco; o porco se recusa a subir no muro; e eu não chegarei a minha casa nesta noite.

Mas o gato lhe disse:

– Se você encontrar uma vaca e me trouxer um pires com leite, matarei o rato.

Então lá foi a velha em busca da vaca.

Mas a vaca lhe disse:

– Se você andar mais, achar um fardo de feno e me trouxer um pouco, eu lhe darei o leite.

Então a velha foi atrás do fardo e trouxe o feno para a vaca.

Assim que a vaca comeu o feno, ela deu o leite para a velha, que seguiu o caminho com o pires para o gato.

Assim que o gato bebeu todo o leite, foi matar o rato; o rato começou a roer a corda; a corda começou a enforcar o açougueiro; o açougueiro começou a matar o boi; o boi principiou a beber a água; a água começou a apagar o fogo; o fogo começou a queimar o pau; o pau começou a bater no cachorro; o cachorro começou a morder o porco; e o pequeno porco, com muito medo, pulou sobre o muro. E a velha conseguiu chegar a sua casa naquela noite.

Como Jack saiu em busca da fortuna

Era uma vez um garoto chamado Jack, e certa manhã ele saiu para procurar fortuna.

Não tinha ido muito longe quando encontrou um gato.

– Aonde está indo, Jack? – perguntou o gato.

– Estou indo em busca de fortuna.

– Posso ir com você?

– Sim – concordou Jack –, quanto mais companhia, melhor.

Então lá foram os dois – tra, la, li, tra, la, la.

Caminharam mais um pouco e encontraram um cachorro.

– Aonde está indo, Jack? – perguntou o cachorro.

– Estou indo em busca de fortuna.

– Posso ir com você?

– Sim – disse Jack –, quanto mais companhia, melhor.

Então lá foram eles – tra, la, li, tra, la, la. Avançaram mais um pouco e toparam com um bode.

– Aonde está indo, Jack?
– Estou indo em busca de fortuna.
– Posso ir com você?
– Sim – disse Jack –, quanto mais companhia, melhor.
Então lá foram todos – tra, la, li, tra, la, la.
Caminharam mais um pouco e encontraram um touro.
– Aonde está indo, Jack? – perguntou o touro.
– Estou indo em busca de fortuna.
– Posso ir com você?
– Sim – concordou Jack –, quanto mais companhia, melhor.
Então lá foram todos eles – tra, la, li, tra, la, la.
Caminharam mais um pouco e encontraram um galo.
– Aonde está indo, Jack? – perguntou o galo.
– Estou indo em busca de fortuna.
– Posso ir com você?
– Sim – disse Jack –, quanto mais companhia, melhor.
Então lá foram todos eles – tra, la, li, tra, la, la.

Bem, continuaram a caminhada, até que começou a anoitecer, e ficaram pensando em um lugar para passar a noite. Logo avistaram uma casa, e Jack pediu aos companheiros de viagem que ficassem quietos enquanto ele avançava e olhava pela janela da casa. O que viu foram ladrões contando o dinheiro que haviam roubado. Então Jack voltou e disse aos companheiros para esperarem até que ele desse a ordem de fazerem o maior barulho possível. Assim que todos ficaram prontos, Jack deu a ordem, e o gato miou, o cachorro latiu, o bode berrou, o touro mugiu, o galo cantou, e todos juntos fizeram tamanha algazarra que os ladrões, muito assustados, fugiram.

E aí Jack e seus companheiros entraram na casa e tomaram posse dela. Jack tinha medo de que os ladrões voltassem durante a noite, e então, quando chegou a hora de irem dormir, ele colocou o gato deitado na cadeira de balanço, o cachorro debaixo da mesa, o bode no andar de cima da casa e o touro na adega, e enquanto o galo voava para o telhado, o menino deitou na cama.

Aos poucos os ladrões viram que já estava muito escuro e mandaram um deles de volta à casa para pegar o dinheiro. Logo ele retornou com grande pressa e contou sua história:

– Voltei para a casa – disse ele – e entrei, e tentei sentar na cadeira de balanço, e lá estava uma velha tricotando, e ela enfiou as agulhas de tricô na minha pele.

Vocês, leitores, sabem que esse era o gato.

– Fui até a mesa procurar o dinheiro, e havia um sapateiro debaixo dela, e ele enfiou a sovela em mim.

Esse era o cachorro, vocês sabem.

– Quando fui para o andar de cima, encontrei um homem batendo em alguma coisa, e ele me derrubou com seu malho.

Era o bode, vocês sabem.

– Comecei a descer para a adega, e lá também havia um homem cortando lenha, e ele me derrubou com seu machado.

Era o touro, vocês sabem.

– Mas nada disso teria me abatido – continuou o ladrão –, se não fosse um camarada pequenino no alto da casa que ficava gritando: "Jogue esse sujeito para mim! Jogue esse sujeito para mim!".

É claro que esse era o galo *có-có-ri-có*.

O sr. Vinagre

O sr. e a sra. Vinagre moravam em uma garrafa de vinagre. Então, certo dia, enquanto o sr. Vinagre se encontrava do lado de fora da casa, a sra. Vinagre, que gostava muito de limpeza, estava ocupada varrendo, quando uma batida mais forte e infeliz da vassoura quebrou a casa toda, *clic-clic*, e caiu por cima da mulher. Muito triste, ela correu ao encontro do marido.

Ao vê-lo, exclamou:

– Oh, sr. Vinagre, sr. Vinagre, estamos arruinados, derrubei a casa, e está tudo em pedaços!

O sr. Vinagre então disse:

– Minha querida, vamos ver o que podemos fazer. Aqui está a porta; vou levá-la nas costas, e seguiremos em busca de fortuna.

Caminharam todo aquele dia e, ao anoitecer, chegaram a uma floresta fechada. Ambos estavam muito, muito cansados, e o sr. Vinagre disse:

– Meu amor, vou subir em uma árvore e carregar a porta comigo, e você me seguirá.

Dito e feito: os dois acomodaram os corpos cansados e caíram no sono.

No meio da noite, o sr. Vinagre foi perturbado pelo som de vozes e, para seu horror e aflição, descobriu que era um bando de ladrões que dividiam seu roubo bem ali embaixo da árvore.

– Aqui, Jack – disse um deles –, aqui estão cinco libras para você; aqui, Bill, dez libras para você; aqui, Bob, três libras para você.

O sr. Vinagre não conseguiu ouvir mais nada. Seu terror era tão grande, e ele tremia tanto, que deixou cair a porta na cabeça dos homens. Os ladrões saíram correndo, mas o sr. Vinagre não ousou deixar seu esconderijo até que fosse dia claro.

Então ele desceu da árvore com cuidado e, para sua surpresa, quando ergueu a porta, encontrou um monte de moedas de ouro.

– Desça, sra. Vinagre – gritou. – Desça, estou dizendo; fizemos fortuna! Desça, estou dizendo!

A sra. Vinagre desceu o mais rápido que pôde e, quando viu o dinheiro, pulou de alegria.

– Agora, meu querido – ela disse –, vou dizer o que deve fazer. Há uma feira na cidade vizinha; você vai levar esses quarenta guinéus e comprar uma vaca. Posso fazer manteiga e queijo, que você venderá no mercado, e então poderemos viver com muito conforto.

O sr. Vinagre concordou alegremente, pegou o dinheiro foi para a feira. Quando lá chegou, caminhou para cima e para baixo e, por fim, avistou uma bela vaca avermelhada. Era uma excelente vaca leiteira e perfeita em tudo. "Oh", pensou o sr. Vinagre, "se pudesse ser dono dessa vaca, seria o homem mais feliz do mundo".

Então ofereceu os quarenta guinéus pela vaca, e o dono do animal disse que, como eram amigos, concordava. Fecharam o negócio, e o sr. Vinagre desfilou com a vaca de um lado para o outro na feira.

Pouco tempo depois, avistou um homem tocando uma gaita de fole:
– *Tu-tu-tu-tu*. As crianças seguiam o homem, que parecia estar ganhando dinheiro de todos os que o ouviam.

"Bem", pensou o sr. Vinagre, "se eu fosse dono daquele belo instrumento, seria o homem mais feliz do mundo e faria fortuna".

Então aproximou-se do homem.

– Amigo – disse –, que lindo instrumento musical! Você deve lucrar muito com ele.

– Bem, sim – respondeu o homem. – Ganho muito dinheiro, com certeza, e é um lindo instrumento.

– Oh! – exclamou o sr. Vinagre. – Como gostaria de ser o dono dele!

– Bem – disse o homem –, não é fácil me separar dele; e, como somos amigos, pode ficar com a gaita de fole em troca dessa vaca.

– Feito! – respondeu o sr. Vinagre, muito satisfeito. Então, a linda vaca avermelhada foi trocada pela gaita de fole.

O sr. Vinagre desfilou para cima e para baixo com sua compra, mas não conseguiu tocar uma só nota, e, em vez de embolsar moedas, a criançada o seguia gritando, rindo e jogando coisas em cima dele.

Pobre sr. Vinagre! Seus dedos ficaram muito frios, e, bem na hora em que estava deixando a cidade, ele encontrou um homem usando um belo par de luvas.

– Oh, meus dedos estão gelados! – lamentou-se o sr. Vinagre. – Se eu possuísse essas lindas luvas, seria o homem mais feliz do mundo.

Então caminhou até o homem e disse para ele:

– Amigo, parece que você tem um maravilhoso par de luvas.

– Sim, é verdade! – exclamou o homem. E minhas mãos estão bem aquecidas neste frio dia de inverno.

– Bem – disse o sr. Vinagre –, gostaria de comprá-las.

– Quanto você me daria? – perguntou o outro homem. – Como você é meu amigo, não me importo de dá-las em troca da sua gaita de fole.

– Feito! – gritou o sr. Vinagre. Enfiou as mãos nas luvas, muito feliz ao tomar o caminho de volta para casa.

Já estava muito cansado quando viu um homem ir na sua direção com uma boa bengala na mão.

– Oh! – exclamou o sr. Vinagre. – Se eu fosse dono daquela bengala, seria o homem mais feliz do mundo.

Dirigiu-se ao outro homem:

– Amigo! Que boa e rara bengala você possui!

– Sim – respondeu o homem –, eu a uso por muitos quilômetros, e é minha ótima companheira; mas, se você gostou dela, e como você é meu amigo, não me importo de trocá-la pelo seu par de luvas.

As mãos do sr. Vinagre estavam quentes, e suas pernas estavam tão cansadas que de boa vontade ele efetuou a troca.

Enquanto se aproximava da floresta onde deixara a esposa, ouviu um papagaio em uma árvore dizer seu nome:

– Sr. Vinagre, seu tolo, cabeça de vento, simplório; o senhor foi até a feira e usou todo o seu dinheiro para comprar uma vaca. Não contente com isso, você a trocou por uma gaita de fole, que não sabe tocar, e que não valia um décimo daquele dinheiro. Seu tolo, você mal ficara com a gaita de fole e a trocou pelas luvas, que não valiam um quarto do dinheiro; e trocou as luvas por uma simples bengala. E agora, pelos seus quarenta guinéus, vaca, gaita de fole e luvas, nada tem para mostrar além dessa pobre e miserável bengala, que você mesmo poderia ter feito com um pedaço de pau de qualquer cerca viva.

Assim dizendo, a ave riu muito, e o sr. Vinagre, ficando com muita raiva, atirou a bengala na cabeça dela. A bengala ficou presa na árvore, e ele voltou para a esposa sem dinheiro, vaca, gaita de fole, luvas ou bengala. Ela logo deu uma surra tão grande no sr. Vinagre que quase quebrou todos os ossos do corpo dele.

Nada

Certa vez havia um rei e uma rainha, como em muitos reinos. Estavam casados e não tinham filhos; mas por fim a rainha teve um menino enquanto o rei estava ausente, lutando em países distantes. A rainha não queria batizar o menino até que o rei voltasse, e disse:

– Vamos apenas chamá-lo de Nada, até que seu pai volte para casa.

O rei demorou a voltar e, quando estava a caminho de casa, precisou cruzar um grande rio onde havia um rodamoinho, impedindo-o de passar. Então um gigante se aproximou e disse:

– Vou carregá-lo para o outro lado.

E o rei perguntou:

– Quanto quer receber por isso?

– Oh, me dê Nada, e eu o carregarei nas costas.

O rei não sabia que seu filho se chamava Nada, então disse:

– Tudo bem, e muito obrigado pelo acordo.

Quando o rei chegou em casa, ficou muito feliz por rever a esposa e conhecer seu jovem filho. Ela lhe contou que não dera nome algum ao menino, apenas o chamava de Nada, esperando que o marido voltasse. O pobre rei ficou muito preocupado e disse para a esposa:

– O que foi que fiz? Prometi dar Nada ao gigante que me carregou nas costas sobre o rio.

O rei e a rainha estavam tristes e apreensivos, mas resolveram:

– Quando o gigante vier lhe daremos o filho da mulher que cuida das galinhas; ele jamais notará a diferença.

No dia seguinte, o gigante veio reclamar a promessa do rei, que então chamou o filho da mulher que cuidava das galinhas e o entregou. O gigante partiu com o menino nas costas, caminhou até chegar a uma grande pedra e ali se sentou para descansar. Perguntou:

– Ei, ei, você nas minhas costas, que horas são?

O pobre menininho respondeu:

– Hora de minha mãe, que cuida das galinhas, levar ovos para o desjejum da rainha.

O gigante ficou muito zangado e esmagou a cabeça do menino na pedra, matando-o.

Então voltou com um humor terrível ao castelo, e dessa vez deram-lhe o filho do verdureiro. Lá foi o gigante com a criança nas costas até chegarem de novo à pedra onde o gigante sentou para descansar. E perguntou:

– Ei, ei, você nas minhas costas, que horas são?

O filho do verdureiro respondeu:

– Sem dúvida, é hora de minha mãe levar legumes para o jantar da rainha.

Então o gigante ficou furioso e esmigalhou os miolos do menino na pedra.

Voltou para o castelo do rei com um humor terrível e disse que destruiria tudo por ali se não lhe entregassem Nada dessa vez. Foram forçados a ceder, e, quando o gigante alcançou a grande pedra, sentou-se e perguntou:

– Que horas são?

Nada respondeu:

– Hora de meu pai, o rei, sentar-se para jantar.

O gigante então disse:

– Agora sim, estou com o menino certo – e levou Nada para sua própria casa e o criou até que ele se transformou em um homem.

O gigante tinha uma linda filha, e ela e o rapaz ficaram muito amigos. Certo dia o gigante disse para Nada:

– Tenho um trabalho para você. Há um estábulo com onze quilômetros de comprimento e onze quilômetros de largura, e há sete anos não é limpo. Você precisa limpá-lo amanhã, ou vou comê-lo no jantar.

No dia seguinte, a filha do gigante foi levar o café da manhã para o rapaz e o encontrou em um estado deplorável, porque sempre que ele limpava um pedaço do estábulo, logo voltava a ficar sujo. A filha do gigante disse que o ajudaria e convocou todos os animais do campo e todas as aves do céu, e em um minuto todos vieram e lavaram toda a sujeira do estábulo, deixando tudo limpo. Quando o gigante voltou para casa, disse:

– Não sei quem foi a pessoa esperta que o ajudou; mas tenho um trabalho pior para você amanhã. – Então disse para Nada: – Há um lago com onze quilômetros de comprimento, onze quilômetros de profundidade e onze quilômetros de largura. Você vai precisar drená-lo amanhã até o anoitecer, do contrário eu o comerei no jantar.

Nada começou a trabalhar cedo no dia seguinte e tentou tirar a água com um balde, porém o lago não parecia diminuir, e ele não sabia o que fazer. Então a filha do gigante convocou todos os peixes do mar para virem beber a água do lago, e em pouco tempo beberam tudo. Quando o gigante viu o trabalho concluído, ficou furioso e disse:

– Tenho um trabalho ainda pior para você amanhã. Existe uma árvore muito, muito alta e sem galhos. Você vai ter que subir até o topo, onde há um ninho com sete ovos, e terá que trazer todos os ovos para baixo sem quebrar nenhum, do contrário comerei você no jantar.

De início a filha do gigante não soube como ajudar Nada, mas então cortou os dedos das mãos e depois os dos pés, fazendo degraus com eles, e o rapaz subiu na árvore e pegou todos os ovos, que levou inteiros quase até chegar ao chão, mas aí um se quebrou. Então os dois resolveram fugir juntos, e depois que a filha do gigante penteou os cabelos e pegou seu frasco mágico, foram embora o mais rápido possível. Não haviam percorrido ainda três campos quando olharam para trás e viram o gigante aproximar-se rapidamente deles.

– Rápido, rápido – pediu a filha do gigante –, tire o pente dos meus cabelos e jogue-o no chão.

Nada assim fez, e de cada dente do pente surgiu uma roseira-brava muito espessa, justamente no caminho do gigante. Podem ter certeza de que levou muito tempo para ele conseguir passar pelas roseiras-bravas e, quando conseguiu, os dois namorados já estavam bem distantes. Mas logo o gigante recuperou o tempo perdido, e estava prestes a alcançar os dois quando a moça gritou para Nada:

– Pegue o punhal preso nos meus cabelos e jogue-o no chão depressa, depressa!

Então Nada obedeceu, e do punhal rapidamente surgiu uma cerca viva espessa, feita de lâminas afiadas e colocadas em zigue-zague. O gigante precisou ser muito cauteloso para passar pela cerca viva, e enquanto isso os jovens corriam, corriam, corriam, até quase ficarem longe de sua vista. Mas por fim o gigante se livrou das lâminas, e logo parecia que iria pegá-los. Entretanto, quando estendia a mão para segurar Nada, sua filha pediu o frasco mágico e o atirou no chão, e, enquanto o frasco se quebrava, formou-se uma onda enorme que cresceu, cresceu, até que alcançou a cintura do gigante, depois seu pescoço, e, quando alcançou sua cabeça, afogou-o até a morte. Assim o gigante sai desta história.

Mas Nada e a moça correram até você sabe onde? Ora, para perto do castelo do pai e da mãe dele. Mas a filha do gigante estava tão cansada que já não conseguia dar mais um passo. Então Nada pediu que ela esperasse ali enquanto ele ia procurar um abrigo para passarem a noite. Caminhou na direção das luzes do castelo e, no caminho, foi parar no chalé da mulher que cuidava das galinhas e cujo filho tivera a cabeça esmagada pelo gigante. Ela logo reconheceu Nada e o odiou porque ele fora a causa da morte de seu filho. Então, quando Nada perguntou como chegar ao castelo, ela lhe lançou um feitiço, e, assim que Nada chegou lá, caiu em um sono profundo em um banco no salão. O rei e a rainha não reconheceram aquele rapaz e tentaram de tudo para fazê-lo acordar, mas foi em vão. Então o rei prometeu que qualquer dama que conseguisse despertá-lo iria se casar com ele.

Enquanto isso, a filha do gigante esperava que Nada voltasse, e subiu em uma árvore para tentar avistá-lo. A filha do verdureiro, indo pegar água no poço, viu a sombra da moça na água e pensou que fosse sua própria sombra, e disse:

– Já que sou assim tão bonita e corajosa, por que me mandam pegar água? – Atirou longe o balde e foi tentar a sorte e despertar o estranho adormecido para se casar com ele. Daí procurou a mulher que cuidava das galinhas, e ela lhe ensinou um feitiço que acabaria com o anterior, e que manteria Nada acordado pelo tempo que a filha do verdureiro quisesse.

Nesse meio-tempo, o verdureiro foi buscar água no poço e viu a sombra da dama na água. Então ergueu os olhos e a avistou. Ajudou-a a descer da árvore, e, enquanto contava que um estranho ia casar com a sua filha, levou a filha do gigante para o castelo e mostrou o homem para ela. A moça gritou alto quando viu Nada dormindo em um banco:

– Acorde, acorde, fale comigo!

Mas ele não acordava, e logo ela exclamou:

Limpei o estábulo, draguei o lago, ajudei-o a subir na árvore,
Tudo pelo seu amor,
E você não acorda e não fala comigo.

O rei e a rainha ouviram isso e foram até a linda jovem, que disse:
– Não consigo fazer com que Nada fale comigo, por mais que tente.
Os dois ficaram muito surpresos quando ela mencionou o nome Nada. Perguntaram onde ele estava, e ela respondeu:
– É aquele deitado no banco.

Então o rei e a rainha correram para ele, beijaram-no e o chamaram de filho querido; depois chamaram a filha do verdureiro e mandaram que invocasse o seu feitiço, e Nada acordou, contando tudo o que a filha do gigante fizera por ele e como era boa. O rei e a rainha a tomaram nos braços e a beijaram, dizendo que agora ela seria sua filha também, porque seu filho a desposaria. Chamaram a mulher que cuidava das galinhas e a executaram, e todos viveram para sempre felizes.

Jack Hannaford

Havia um velho soldado que combatera em muitas guerras por muito tempo – tanto tempo que já estava com as roupas rotas. Não sabia para onde ir e precisava encontrar um meio de ganhar a vida. Então passou por charnecas, desceu por vales, até que por fim chegou a uma fazenda. O fazendeiro saíra para ir ao mercado. A mulher do fazendeiro era muito tola e já enviuvara uma vez; o fazendeiro também era muito tolo, e seria difícil dizer qual dos dois era pior. Depois de ouvir minha história, vocês poderão decidir.

Antes de ir ao mercado, o fazendeiro disse para a esposa:

– Aqui tem dez libras em ouro. Tome conta delas até eu voltar.

Só mesmo um homem muito tolo teria dado esse dinheiro para a mulher guardar. Bem, lá foi ele na sua carroça para o mercado, e a mulher disse para si mesma: "Guardarei essas dez libras a salvo dos ladrões". Amarrou as moedas dentro de um trapo e o colocou dentro da chaminé da sala.

– Pronto – ela disse –, com certeza nenhum ladrão as encontrará agora.

Jack Hannaford, o velho soldado, chegou e bateu à porta.

– Quem é? – perguntou a esposa do fazendeiro.
– Jack Hannaford.
– De onde você vem?
– Paraíso.
– Meu senhor! Quem sabe viu meu velho lá? – disse ela, aludindo ao ex-marido.
– Sim, vi.
– E como ele está? – perguntou a ingênua.
– Mais ou menos. Conserta sapatos velhos e só tem repolho para comer.
– Coitado! – exclamou a mulher. – Ele não mandou uma mensagem para mim?
– Sim, mandou – respondeu Jack Hannaford. – Disse que acabou o couro e que seus bolsos estão vazios, e que você deverá enviar-lhe alguns *shillings* para comprar um estoque novo de couro.
– Vou mandar, pobre alma bendita!

E lá foi a mulher do fazendeiro para a chaminé da sala, tirando dali o trapo com as dez libras e dando tudo para o soldado. Recomendou que seu velho usasse o que fosse preciso e enviasse de volta o dinheiro que sobrasse.

Jack não esperou muito para sair depois de receber o dinheiro e partiu o mais depressa que suas pernas permitiam.

Logo o fazendeiro voltou para casa e pediu o dinheiro. A esposa lhe contou que mandara o dinheiro por meio de um soldado para seu falecido marido no Paraíso, para que ele comprasse couro e consertasse os sapatos dos santos e dos anjos no céu. O fazendeiro ficou muito zangado e jurou que nunca ouvira tamanha tolice como essa que contara sua mulher. Mas a esposa disse que o marido era um tolo maior por deixá-la ficar com o dinheiro.

Não havia tempo para discussões; então o fazendeiro montou no seu cavalo e foi atrás de Jack Hannaford. O velho soldado ouviu o rumor das patas do cavalo sobre o solo da estrada e imaginou que devia ser o fazendeiro em seu encalço. Deitou-se no chão e, protegendo os olhos com uma das mãos, olhou para o céu, apontando naquela direção com a outra mão.

– O que está fazendo aí? – perguntou o fazendeiro, parando o cavalo.
– Que o Senhor o salve! – exclamou Jack. – Vi um sinal raro.
– O que era?
– Um homem indo direto para o céu, como se caminhasse por uma estrada.
– Ainda pode vê-lo?
– Sim, posso.
– Onde?
– Desça do cavalo e deite no chão.
– Só se você segurar o cavalo.
Jack obedeceu prontamente.
– Não consigo vê-lo – reclamou o fazendeiro.
– Proteja os olhos com uma das mãos e logo verá um homem fugindo de você depressa.

O homem assim fez. Jack montou no cavalo e saiu a galope. O fazendeiro voltou a pé para casa, muito contrariado.

– Você é um tolo maior do que eu – disse a esposa –, porque só fiz uma tolice, mas você fez duas.

Binnorie

Era uma vez um rei que tinha duas filhas. Elas viviam em um pavilhão perto da linda represa de Binnorie. Sir William veio cortejar a mais velha e conquistou seu amor, empenhando sua promessa com uma luva e um anel. Mas depois de certo tempo voltou os olhos para a irmã mais nova, de faces rosadas e cabelos dourados, e seu amor por ela cresceu tanto que ele esqueceu a mais velha. Então a mais velha passou a odiar a irmã por ter lhe roubado o amor de *sir* William, e, como a cada dia seu ódio aumentava, ela logo começou a fazer planos para se livrar da outra.

Certa manhã bonita e radiosa, disse para a irmã:

– Vamos ver os barcos de nosso pai chegando à linda represa de Binnorie.

Assim, lá foram elas de mãos dadas. Quando alcançaram a margem do rio, a mais nova subiu em uma pedra para observar a chegada dos barcos; e a irmã, aproximando-se por trás, segurou-a pela cintura e a atirou na represa turbulenta de Binnorie.

– Oh, irmã, irmã, estenda a mão! – gritou a mais nova enquanto era carregada para longe pelas águas. – Você terá a metade de tudo que possuo ou virei a possuir.

– Não, irmã, não vou lhe estender a mão, porque sou a herdeira de todas as suas terras. Seria uma vergonha se tocasse em quem se interpôs entre mim e meu grande amor.

– Oh, irmã, oh, irmã, então me estenda sua luva! – gritou a mais nova, enquanto flutuava para mais longe ainda. – Você terá *sir* William de volta.

– Afogue-se! – gritou a princesa cruel. – Não tocará na minha mão nem na minha luva. O doce William será todo meu quando você tiver se afogado na linda represa de Binnorie. – Dando-lhe as costas, voltou para o castelo do rei.

A princesa mais nova flutuou represa abaixo, ora nadando, ora afundando, até que chegou perto do moinho.

Naquela hora, a filha do moleiro estava cozinhando e precisava de água para a comida que preparava. Quando foi buscá-la no riacho, viu algo flutuando em direção à barragem do moinho e gritou:

– Pai! Pai! Venha tirar algo aqui da represa. Há uma linda donzela ou um cisne branco como leite descendo o riacho.

Então o moleiro correu para a represa e deteve as pesadas e cruéis pás do moinho.

Eles retiraram a princesa e a colocaram na margem. Estava linda quando a puseram ali. Em seus cabelos havia pérolas e pedras preciosas; um cinto dourado cingia sua cintura, e a barra dourada de seu vestido branco cobria seus mimosos pés. Mas ela se afogara.

Enquanto estava ali, deitada e bela, um famoso harpista passou pela represa de Binnorie e viu a doce e pálida jovem. Embora continuasse seu caminho para longe, não conseguia esquecer aquele belo rosto, por isso, muito tempo mais tarde, voltou para a linda represa de Binnorie. Mas tudo que encontrou depois que a enterraram foram seus ossos e os cabelos dourados. Então ele fez uma harpa com o osso do tórax e os cabelos da moça e subiu o morro da represa de Binnorie, até chegar ao castelo do rei, pai da princesa.

Naquela noite estavam todos reunidos no grande salão do castelo para ouvir o famoso harpista. O rei e a rainha, sua filha mais velha, seu filho, *sir* William e toda a corte pareciam se divertir.

Primeiramente o harpista cantou ao som de sua antiga harpa, fazendo o público vibrar de alegria ou se emocionar e chorar, segundo sua vontade. Mas, enquanto cantava, ele colocou a harpa que fizera naquele dia sobre uma pedra no salão, e ela começou a tocar e cantar por conta própria, em tom baixo e claro. O harpista parou para ouvir em silêncio, assim como todos os demais.

E isso foi o que a harpa cantou:

Oh, além se senta meu pai, o rei,
Binnorie, oh, Binnorie;
E além se senta minha mãe, a rainha,
Perto da linda represa de Binnorie.

E além está meu irmão, Hugh, de pé,
Binnorie, oh, Binnorie;
E junto a ele meu William, falso e sincero,
Perto da linda represa de Binnorie.

Então todos ficaram curiosos, e o harpista contou como vira a princesa afogada na margem perto da linda represa de Binnorie, e como depois fizera essa harpa com seus cabelos e o osso do tórax. Nesse instante a harpa começou a cantar de novo, e isso foi o que ela cantou, em tom alto e claro:

E ali está sentada minha irmã, que me afogou
Na linda represa de Binnorie.

Então a harpa se partiu e nunca mais cantou.

O rato e a gata

O rato foi visitar a gata e a encontrou sentada atrás da porta do vestíbulo, tecendo.

– O que está fazendo, minha senhora, minha senhora? O que está fazendo, minha senhora? – perguntou o rato.

– Estou fiando velhas calças, bom amigo, bom amigo. Estou fiando velhas calças, bom amigo – respondeu a gata bruscamente.

– Que possa usá-las por muito tempo, minha senhora, minha senhora. Que possa usá-las por muito tempo, minha senhora.

– Vou usá-las e rasgá-las, bom amigo, bom amigo. Vou usá-las e rasgá-las, bom amigo – comentou a gata com evidente mau humor.

– Estava varrendo meu quarto, minha senhora, minha senhora. Estava varrendo meu quarto, minha senhora – continuou o rato, insistindo em conversar.

– Mais limpo você será, bom amigo, bom amigo. Mais limpo você será, bom amigo.

– Encontrei uma moeda de prata, minha senhora, minha senhora. Encontrei uma moeda de prata, minha senhora.

– Ficou mais rico, bom amigo, bom amigo. Ficou mais rico, bom amigo.

– Fui ao mercado, minha senhora, minha senhora. Fui ao mercado, minha senhora – contou o rato.

– Foi para bem longe, bom amigo, bom amigo. Foi para bem longe, bom amigo.

– Comprei um pudim para mim, minha senhora, minha senhora. Comprei um pudim para mim, minha senhora.

– Vai ficar mais gordo, bom amigo, bom amigo. Vai ficar mais gordo, bom amigo – rosnou a gata.

– Deixei na janela para esfriar, minha senhora, minha senhora. Deixei na janela para esfriar, minha senhora.

– Vai comer mais depressa, bom amigo, bom amigo. Vai comer mais depressa, bom amigo – comentou bruscamente a gata.

– O gato veio e comeu, minha senhora, minha senhora. O gato veio e comeu, minha senhora – o gato criticou, tímido.

– E eu vou comer você, bom amigo, bom amigo. E eu vou comer você, bom amigo – disse a gata, dando um salto rápido.

(Pula em cima do rato e o mata.)

Capa de Junco

Era uma vez um senhor muito rico que tinha três filhas e resolveu testar o amor filial. Então perguntou para a primeira:
– Quanto você me ama, minha querida?
– Ora – ela respondeu –, tanto quanto minha vida.
– Isso é bom – ele disse.
Então perguntou para a segunda:
– Quanto você me ama, minha querida?
– Ora – respondeu ela –, tanto quanto o mundo todo.
– Isso é bom – ele disse.
Então perguntou para a terceira:
– Quanto você me ama, minha querida?
– Ora, amo como a carne fresca ama o sal – ela respondeu.
Ahhh, o pai ficou muito zangado.
– Você não me ama de jeito nenhum – disse ele – e não ficará mais na minha casa.
Então ele a expulsou e fechou a porta, deixando-a partir.
A moça caminhou muito até chegar a um pântano. Ali, ela recolheu muito junco, fez uma esteira como uma espécie de manto com capuz que

a cobriu da cabeça aos pés, escondendo suas roupas elegantes, e então prosseguiu até chegar a uma grande casa.

– Precisam de empregada? – perguntou.

– Não – responderam.

– Não tenho para onde ir – ela explicou. – Não peço ordenado e faço qualquer tipo de trabalho – ela insistiu.

– Bem – eles disseram –, se gosta de lavar panelas e arear tachos, pode ficar.

Ela ficou lá, lavou as panelas, areou os tachos e fez todo o trabalho humilde. E como não lhes disse seu nome, eles a chamavam de "Capa de Junco".

Certo dia haveria um grande baile um pouco distante dali, e os empregados estavam autorizados a comparecer e ver as pessoas importantes. Capa de Junco disse que estava cansada demais e ficou em casa. Mas, quando todos saíram, tirou sua capa de junco, tomou banho e foi ao baile, e ninguém ali estava mais elegante que ela.

Sabe quem estava no baile? Ninguém mais, ninguém menos que o filho do seu patrão, que se apaixonou por ela no minuto em que a viu. Não quis dançar com nenhuma outra.

Antes que o baile acabasse, Capa de Junco escapou e voltou para casa. E, quando as outras empregadas voltaram, fingiu dormir com seu capuz na cabeça.

Na manhã seguinte, contaram para ela:

– Você perdeu um acontecimento, Capa de Junco!

– O que foi? – ela perguntou, demonstrando curiosidade.

– Ora, o jovem patrão dançou com a mais linda dama que já se viu, a mais bem vestida de todas, e não tirou os olhos dela por toda a noite.

– Bem que gostaria de ter visto isso – disse Capa de Junco.

– Vai haver outro baile hoje, e talvez ela esteja lá.

Mas, ao chegar a noite, Capa de Junco disse que estava cansada demais para ir com os outros. Quando todos saíram, ela tirou sua capa de junco, tomou banho e foi para o baile.

O filho do patrão, ao revê-la, não dançou com nenhuma outra, e não tirou os olhos de sua amada. Mas, antes que o baile terminasse, ela escapou e foi para casa. E, quando as outras empregadas voltaram, fingiu dormir, usando seu capuz de junco.

No dia seguinte, contaram de novo para ela:

– Capa de Junco, deveria ter ido ao baile para ver a dama. Lá estava ela de novo, elegantíssima e alegre, e o jovem patrão não tirou os olhos dela.

– Ora, que coisa! – disse Capa de Junco. – Gostaria de ter visto isso.

– Escute – disseram as companheiras –, haverá novo baile hoje à noite, e você precisa ir conosco, pois com certeza a dama estará lá.

Quando chegou a noite, Capa de Junco alegou estar muito cansada e, por mais que insistissem, ficou em casa. Mas, quando todos saíram, ela tirou sua capa de junco, tomou banho e foi para o baile.

O filho do patrão ficou muito feliz ao vê-la. Só dançou com ela, sem tirar os olhos da moça. Quando ela se recusou a dizer seu nome e de onde viera, ele lhe deu um anel e disse que, se não a visse de novo, morreria.

Bem antes que o baile terminasse, ela fugiu e foi para casa. E, quando as outras empregadas voltaram, fingiu dormir com sua capa de junco.

No dia seguinte, disseram para ela:

– Olhe só, Capa de Junco, você não foi ao baile ontem e agora não verá a dama, porque não haverá mais bailes.

– Oh, que pena, teria gostado muito de vê-la – ela lamentou.

O filho do patrão tentou de tudo para encontrar a dama, mas, por mais lugares que percorresse e por mais pessoas que interrogasse, nada soube a respeito dela. Ficou cada vez mais doente de amor, até que não pôde deixar o leito.

– Faça um mingau para o jovem patrão – disseram para a cozinheira. – Está morrendo de amor pela dama.

A cozinheira começou a fazer o mingau, quando Capa de Junco entrou na cozinha.

– O que está fazendo? – ela perguntou.

– Vou fazer um mingau para o jovem patrão – disse a cozinheira –, porque ele está morrendo de amor pela dama.

– Deixe que eu faça – pediu Capa de Junco.

De início a cozinheira recusou, mas por fim concordou, e Capa de Junco fez o mingau. Quando terminou, enfiou dentro dele o anel, disfarçadamente, antes que a cozinheira o levasse para cima.

O jovem comeu e viu o anel no fundo do prato.

– Chamem a cozinheira – ordenou.

Então lá veio a cozinheira.

– Quem fez este mingau? – ele perguntou.

– Eu – respondeu a cozinheira com medo.

O rapaz a fitou.

– Não, não fez – ele replicou. – Conte quem o fez e você não será punida.

– Então, digo que foi Capa de Junco – ela respondeu.

– Mande Capa de Junco vir aqui – ele ordenou.

Então Capa de Junco veio.

– Foi você quem fez meu mingau? – ele perguntou.

– Sim, fui eu – ela respondeu.

– Onde conseguiu este anel? – ele quis saber.

– Foi um rapaz que me deu – ela respondeu.

– Então quem é você? – perguntou o jovem.

– Vou lhe mostrar – ela disse –, e tirou a capa de junco, exibindo suas lindas roupas, mas sem revelar sua identidade.

O filho do patrão logo sarou, e os dois iam se casar em breve. Seria um casamento suntuoso, e todos os que moravam perto ou longe foram convidados. O pai de Capa de Junco também foi convidado.

No dia do casamento, ela procurou a cozinheira e disse:

– Quero que faça todos os pratos sem uma única pitada de sal.

– Vai ficar horrível – disse a cozinheira.

– Não tem importância – Capa de Junco replicou.

– Muito bem – concordou a cozinheira.

Então chegou a hora do casamento, e os dois se casaram. Logo após todos se sentarem para jantar, foi servida a comida, mas estava tão insossa que os convidados não conseguiram comer. Porém, o pai de Capa de Junco provou de todos os pratos, e depois começou a chorar.

– O que foi? – perguntou o noivo para ele.

– Oh! – ele respondeu. – Eu tinha uma filha e lhe perguntei quanto ela me amava, e ela respondeu: "Tanto quanto carne fresca gosta de sal". E eu a expulsei porta afora, porque concluí que ela não me amava. E agora vejo que era a filha que mais me amava, e talvez esteja morta.

– Não, pai, aqui estou eu! – exclamou Capa de Junco, que correu para ele e o abraçou.

E todos foram felizes para sempre.

Pequenina

Era uma vez uma mulher muito pequenina que morava em uma casa muito pequenina em um vilarejo muito pequenino. Certo dia, essa mulher pequenina colocou seu pequeno chapéu e saiu de sua casinha para dar um passeio pequenino. E, quando a mulher pequenina percorrera um caminho pequeno, ela chegou até um portão pequenino; então a pequenina abriu o portãozinho e entrou em um pequeno cemitério. E, quando essa mulher pequenina entrou no pequenino cemitério, ela viu um osso pequenino em um túmulo muito pequeno, e a mulher pequenina disse para si mesma: "Com este osso pequenino farei uma sopinha para meu pequeno jantar". Então a mulher pequenina colocou o osso pequenino no seu bolso pequeno e rumou para sua casa muito pequena.

Quando chegou à sua casa pequena, a mulher pequenina estava cansada; então subiu as escadas pequeninas para sua cama pequenina e guardou o osso pequenino em uma cômoda pequenina. E, quando a mulher pequenina adormeceu, pouco tempo depois foi acordada por uma vozinha vinda do pequeno armário, que pedia:

– Devolva meu osso!

A mulher pequenina ficou um tantinho assustada, enfiou a cabecinha debaixo das cobertas e voltou a dormir. E, quando adormeceu de novo por um pouquinho, a vozinha voltou a gritar de dentro do armário pequenino, um pouquinho mais alto:

– Devolva meu osso!

Isso deixou a mulher pequenina um pouco mais assustada, então ela enfiou a cabecinha ainda mais nas cobertas pequenas. E, quando adormeceu de novo por um pouquinho, a vozinha vinda do armário pequenino pediu um pouco mais alto:

– Devolva meu osso!

E dessa vez a mulher pequenina ficou um pouquinho mais assustada, mas tirou a cabecinha das cobertas pequeninas e disse com a voz mais alta que conseguiu:

– Pegue-o e leve-o embora!

Jack e o pé de feijão

Era uma vez uma pobre viúva que tinha um filho único chamado Jack e uma vaca chamada Branquinha. E tudo que tinham para viver era o leite que a vaca lhes dava todas as manhãs e que levavam ao mercado e vendiam. Mas certa manhã Branquinha não deu leite, e eles não souberam o que fazer.

– O que faremos agora? – perguntou a viúva, torcendo as mãos.

– Anime-se, mãe, vou procurar emprego em algum lugar – disse Jack.

– Já tentamos isso antes, e ninguém quis você – disse a mulher. – Precisamos vender a Branquinha, e com o dinheiro começaremos um negócio ou algo assim.

– Está certo, mãe – concordou Jack. – Hoje é dia de mercado, logo venderei Branquinha e veremos o que fazer.

Então ele pegou a vaca pelo cabresto e saiu; não tinha ido muito longe quando encontrou um velho de aparência engraçada, que lhe disse:

– Bom dia, Jack.

– Bom dia para você também – respondeu Jack, imaginando como o velho sabia seu nome.

– Jack, para onde está indo? – perguntou o homem.

– Vou ao mercado vender esta vaca.

– Oh, você parece ser o sujeito certo para vender uma vaca – comentou o homem. – Imagino se sabe de quantos feijões precisa para ter cinco.

– Dois em cada mão e um na boca – respondeu Jack sem titubear.

– Está certo – disse o homem –, e aqui estão os próprios feijões – e assim dizendo, retirou do bolso alguns feijões que pareciam estranhos. – Já que você é tão esperto – continuou –, não me importo de fazer uma troca: aceito sua vaca por estes feijões.

– Caminhante! – exclamou Jack. – Bem que você gostaria, não é?

– Ah! Você não sabe o que são estes feijões – disse o homem. – Caso os plante durante a noite, pela manhã terão crescido até o céu.

– Verdade? – perguntou Jack. – Bem que você gostaria, não é?

– Sim, é verdade, e, se não for assim, poderá levar sua vaca de volta.

– Certo – concordou Jack e lhe entregou Branquinha, enfiando os feijões no bolso.

Lá foi Jack de volta para casa, e, como não fora para muito longe, ainda não era noite quando chegou à porta.

– Já de volta, Jack? – espantou-se a mãe. – Vejo que está sem a Branquinha, então a vendeu. Quanto obteve por ela?

– Nunca irá adivinhar, mãe – disse Jack.

– Não diga! Bom garoto! Cinco libras, dez, quinze... quem sabe vinte?

– Sabia que não iria adivinhar. O que me diz sobre estes feijões? São mágicos, plante à noite e...

– Quê? – exclamou a mãe de Jack. – Como pôde ser tão tolo, tão imbecil, tão idiota para entregar Branquinha, a melhor vaca leiteira da paróquia, uma carne de primeira qualidade se fosse abatida, por um punhado de reles feijões? Leve isso embora! Leve isso embora! Leve isso embora! – Nervosa, ela jogou os preciosos feijões janela afora e continuou: – E agora vá dormir. E não vai beber nem comer nada nesta noite.

Então Jack subiu para o seu quartinho no sótão, muito triste e arrependido, mais por causa da mãe do que por não poder jantar.

Por fim adormeceu.

Quando acordou, o quarto parecia estranho. O sol brilhava em uma parte dele, mas o restante estava escuro, com muitas sombras. Então Jack pulou da cama, vestiu-se e foi até a janela. E o que acham que ele viu? Ora, os feijões que sua mãe atirara pela janela no jardim haviam germinado e se transformado em um grande pé de feijão que subia, subia, subia até o céu. Realmente, o homem dissera a verdade.

O pé de feijão crescera bem perto da janela do quarto de Jack, então tudo que ele precisou fazer foi abri-la e pular para a planta, que parecia uma grande escada trançada. Então Jack subiu, e subiu, subiu, subiu, e continuou a subir, subir, subir, até que afinal alcançou o céu. E, quando chegou lá, encontrou uma longa estrada larga e reta como uma seta. Ele percorreu a estrada, e andou, andou, andou até chegar a uma grande casa. Na soleira da porta estava uma mulher muito alta.

– Bom dia, senhora – cumprimentou Jack com educação. – Poderia ter a gentileza de me dar o café da manhã?

Porque, como vocês sabem, ele nada comera na noite anterior e estava com muita fome.

– É café da manhã que deseja? – perguntou a mulher muito grande e alta. – Pois você será o café da manhã se não sair daqui agora. Meu marido é um ogro, e não há nada que lhe agrade mais do que meninos grelhados na torradeira. É melhor você dar o fora, porque ele logo chegará.

– Oh! Por favor, senhora, dê-me alguma coisa para comer... Não como desde ontem de manhã. É verdade, senhora – disse Jack. – Prefiro ser grelhado a morrer de fome.

A mulher do ogro não era assim tão má, afinal. Então levou Jack até a cozinha e lhe deu um naco de pão e queijo e uma jarra de leite. Mas Jack ainda não terminara a refeição quando *tum! tum! tum!* A casa toda começou a estremecer assim que ele ouviu o barulho de alguém se aproximando.

– Céus, pobre de mim! É o meu marido – disse a mulher do ogro. – O que faremos? Venha depressa e pule aqui – e ela enfiou Jack no forno bem na hora em que o ogro entrava.

Ele era enorme. Trazia pendurados no cinto três bezerros presos pelos cascos. O ogro os tirou dali e os atirou sobre a mesa, dizendo:

– Vamos, mulher, prepare dois deles grelhados para o meu café da manhã. Ah! Que cheiro é esse que estou sentindo?

Fe-fi-fo-fu,
Sinto cheiro de sangue de inglês,
Esteja vivo ou morto
Quero seus ossos triturados no meu pão.

– Tolice, querido – disse a esposa –, está sonhando. Ou talvez esteja sentindo o cheiro dos restos do garotinho que apreciou tanto no jantar de ontem. Olhe, vá se lavar e se arrumar, e, quando voltar, seu café da manhã estará pronto.

Então o ogro saiu, e Jack estava para pular para fora do forno e correr, quando a mulher pediu para ele não fazer isso.

– Espere até ele dormir – disse ela. – Ele sempre tira um cochilo depois do café da manhã.

O ogro tomou seu café, depois caminhou até um grande baú, retirou dali algumas sacolas com ouro e se sentou para contá-lo, mas logo começou a cochilar e principiou a roncar, até que toda a casa voltou a estremecer.

Então Jack saiu do forno na ponta dos pés e, quando passou pelo ogro, colocou uma das sacolas com ouro debaixo do braço, saiu correndo até alcançar o pé de feijão e atirou a sacola com ouro, que, é claro, caiu no jardim de sua mãe. Depois desceu, desceu mais, até que finalmente chegou em casa e contou à mãe o que acontecera, mostrando-lhe o ouro e dizendo:

– Ouça, mãe, eu não tinha razão sobre os feijões? Como você vê, são de fato mágicos.

Por algum tempo sobreviveram graças à sacola com ouro, mas por fim o dinheiro se esgotou, então Jack começou a pensar em subir até o topo do pé de feijão para tentar a sorte de novo. Em uma bela manhã, levantou cedo, foi até o pé de feijão e subiu, subiu, subiu, e continuou a subir, subir, subir, até que chegou à estrada de novo e caminhou até a grande casa que vira antes. Como esperava, lá estava a mulher alta na soleira da porta.

– Bom dia, senhora – disse Jack com muita ousadia –, poderia fazer o favor de me dar algo para comer?

– Vá embora, meu rapaz – disse a mulher muito alta –, ou meu marido o comerá no café da manhã. – Reconhecendo-o, ela perguntou: – Mas você não é o rapaz que esteve aqui antes? Sabe que naquele dia meu marido deu por falta de uma de suas sacolas de ouro?

– Que estranho, senhora! – disse Jack. – Ouso dizer que sei algo sobre isso, mas estou com tanta fome que não poderei falar até comer alguma coisa.

A mulher alta ficou tão curiosa que o fez entrar e lhe deu novamente pão para comer. Mas Jack mal começara a mastigar bem devagar quando *tum! tum! tum!*, ouviram as passadas do gigante, e a mulher escondeu Jack no forno.

Tudo aconteceu como da outra vez. O ogro entrou como antes, dizendo:

– *Fe-fi-fo-fu* – e comeu três bois grelhados no café da manhã.

Depois disse:

– Mulher, traga-me a galinha que bota ovos de ouro.

Então a mulher obedeceu, e o ogro ordenou:

– Bote – e a galinha botou um ovo de ouro. Então, a cabeça do ogro começou a pender, e ele começou a roncar até a casa toda chacoalhar.

Jack saiu de fininho do forno, agarrou a galinha dos ovos de ouro e foi embora antes que se pudesse dizer "Jack Robinson". Mas dessa vez a galinha cacarejou e acordou o ogro, e, no instante em que Jack saiu da casa, ouviu o ogro chamar:

– Mulher, mulher, o que fez com minha galinha dos ovos de ouro?

E a mulher respondeu:

– Por quê, meu querido?

Mas isso foi tudo que Jack ouviu, porque correu rápido para o pé de feijão e desceu como se a casa estivesse pegando fogo. Quando chegou lá embaixo, mostrou para a mãe a maravilhosa galinha e disse:

– Bote – e a galinha foi botando um ovo de ouro a cada vez que ele repetia: – Bote.

Jack ainda não estava satisfeito e resolveu tentar a sorte de novo, subindo no pé de feijão. Então, numa bela manhã, acordou cedo e foi até o pé de feijão, e subiu, subiu, subiu, até chegar ao topo. Mas dessa vez não foi diretamente para a casa do ogro e, quando se aproximou dela, escondeu-se atrás de um arbusto até ver a mulher dele sair com um balde para pegar água; então, entrou pé ante pé na casa e se enfiou na caldeira. Não estava lá havia muito tempo quando ouviu *tum! tum! tum!* Como das outras vezes, logo entraram o ogro e sua mulher.

– *Fe-fi-fo-fu*, sinto cheiro de sangue de um inglês! – exclamou o ogro.
– Sinto o cheiro dele, mulher. Sinto o cheiro dele.
– Verdade, querido – disse a mulher do ogro. – Se for aquele malandro vagabundo que roubou seu ouro e a galinha dos ovos de ouro, sem dúvida entrou no forno. – E os dois correram para o forno.

Mas Jack não estava lá, e a mulher do ogro disse:
– Aí está você de novo com seu *fe-fi-fo-fu*. Bem, é claro que o cheiro é do rapazinho que você pegou ontem à noite e que cozinhei para o seu café da manhã. Você não reconhece a diferença entre um rapaz vivo e um morto.

Então o ogro se sentou e, enquanto tomava seu café, o tempo todo resmungava:
– Poderia jurar que ele está aqui. – E levantava e olhava na despensa, no armário e em outros lugares, mas, felizmente, não pensou em olhar na caldeira.

Quando o café da manhã terminou, o ogro pediu:
– Mulher, mulher, traga minha harpa de ouro.

Ela a trouxe e a colocou sobre a mesa, na frente dele. Então o ogro ordenou:
– Cante! – E a harpa de ouro cantou lindamente. E continuou a cantar até que o ogro adormeceu e começou a roncar como um trovão.

Jack ergueu o tampo da caldeira com todo o cuidado, desceu como um camundongo e foi andando de mansinho até chegar à mesa. Quando se levantou, agarrou a harpa de ouro e correu com ela para a porta, mas a harpa gritou bem alto:

– Amo! Amo!

E o ogro acordou a tempo de ver Jack fugir a toda a velocidade com sua harpa.

Jack correu o mais rápido que podia, e o ogro correu atrás, e logo o alcançaria, mas Jack tinha a vantagem de ter começado a correr antes e se desviou um pouco, sabendo para onde ia. O ogro estava a apenas alguns metros de distância quando viu de repente Jack alcançar o pé de feijão e desaparecer lá embaixo, descendo rápido para salvar sua vida. Bem, o ogro não confiou muito naquela espécie de escada; parou e esperou, enquanto Jack continuava a descer. Mas naquela hora a harpa gritou:

– Amo! Amo!

E o ogro se lançou no pé de feijão, que se sacudiu com seu peso. Lá ia descendo Jack, e logo atrás vinha o ogro. A essa altura Jack já descera, descera, descera, até ficar bem perto de sua casa. Então gritou:

– Mãe! Mãe! Traga-me um machado, traga-me um machado!

E sua mãe veio correndo com o machado na mão, mas, quando alcançou o pé de feijão, ficou paralisada de medo, pois viu o ogro descer abaixo das nuvens.

Mas Jack pulou para o chão, pegou o machado e deu uma machadada no pé de feijão, que se rachou em dois. O ogro sentiu o safanão e estremeceu, parando para ver o que estava acontecendo; então Jack deu outra machadada, e o pé de feijão começou a desmoronar. O ogro caiu e quebrou a cabeça, e o pé de feijão caiu logo a seguir.

Jack mostrou para a mãe sua harpa de ouro, e, depois de venderem os ovos de ouro, ele e a mãe se tornaram muito ricos. Jack se casou com uma linda princesa, e viveram todos felizes para sempre.

A história dos três porquinhos

Havia uma velha porca com três porquinhos. Como não tinha o suficiente para mantê-los, mandou-os embora em busca de fortuna. O primeiro que saiu encontrou um homem com um fardo de palha e disse para ele:

– Por favor, senhor, me dê essa palha para eu construir uma casa.

O homem cedeu, e o porquinho construiu uma casa com a palha. Em breve surgiu um lobo, bateu à porta e disse:

– Porquinho, porquinho, deixe-me entrar.

E o porco respondeu:

– Não, não, tenho pelos no meu queixo, *chin, chin*.

Daí o lobo replicou:

– Então vou soprar e bufar, e derrubarei a sua casa.

E ele soprou, bufou, derrubou a casa e comeu o porquinho.

O segundo porquinho encontrou um homem carregando um feixe de toras de madeira e disse:

– Por favor, senhor, me dê essa madeira para eu construir uma casa.

O homem concordou, e o porco construiu sua casa. Então lá veio o lobo e disse:

– Porquinho, porquinho, deixe-me entrar.

– Não, não, tenho pelos no meu queixo, *chin, chin*.

– Então vou soprar e bufar, e derrubarei a sua casa.

E ele soprou, soprou, soprou, bufou, e por fim derrubou a casa e comeu o porquinho.

O terceiro porquinho encontrou um homem com um monte de tijolos e disse:

– Por favor, senhor, me dê esses tijolos para eu construir uma casa.

Então o homem cedeu os tijolos, e o porquinho construiu uma casa com eles. E o lobo veio, como acontecera com os outros dois porquinhos, e disse:

– Porquinho, porquinho, deixe-me entrar.

– Não, não, tenho pelos no meu queixo, *chin, chin*.

– Então vou soprar e bufar, e derrubarei a sua casa.

Ele soprou e bufou, soprou e bufou, soprou mais, mas não conseguiu derrubar a casa. Quando percebeu que não conseguiria derrubá-la, por mais que bufasse e soprasse, disse:

– Porquinho, sei onde existe um lindo campo de nabos.

– Onde? – quis saber o porquinho.

– Oh, na propriedade do sr. Smith, e, se você estiver pronto amanhã de manhã, virei buscá-lo para irmos juntos pegar alguns nabos para o jantar.

– Muito bem – disse o porquinho –, estarei pronto. A que horas pretende ir?

– Virei às seis horas.

Mas o porquinho se levantou às cinco horas e foi pegar os nabos antes que o lobo viesse. O lobo veio às seis horas e perguntou:

– Porquinho, está pronto?

O porquinho respondeu:

– Pronto?! Já fui e voltei, e consegui encher uma bela panela para o jantar.

O lobo ficou furioso com isso, mas pensou que venceria o porquinho de um jeito ou de outro, então disse:

– Porquinho, sei onde fica uma linda macieira.

– Onde? – perguntou o porquinho.

– Lá embaixo, no Jardim Merry – respondeu o lobo –, e, se você não me enganar, virei buscá-lo às cinco horas amanhã de manhã, e pegaremos algumas maçãs.

Muito esperto, na manhã seguinte o porquinho se levantou às quatro horas e foi colher as maçãs, esperando retornar antes que o lobo chegasse; mas dessa vez precisou ir mais longe e teve que subir na macieira, então, quando estava descendo da árvore, viu o lobo chegando, o que, como vocês podem imaginar, assustou-o muito. Quando o lobo se aproximou, perguntou:

– Porquinho, o que é isso? Chegou antes de mim? As maçãs estão boas?

– Sim, muito boas – respondeu o porquinho. – Vou lhe atirar uma.

E atirou a maçã tão longe que, enquanto o lobo ia buscar, pulou para baixo da macieira e correu até sua casa. No dia seguinte, o lobo veio e disse ao porquinho:

– Porquinho, há uma feira em Shanklin esta tarde. Gostaria de ir?

– Oh, sim – disse o porco –, irei; a que horas você estará pronto?

– Às três – disse o lobo.

Entretanto, como sempre, o porquinho saiu antes da hora marcada, foi à feira e comprou uma grande vasilha com manteiga. Estava voltando para casa com ela quando viu o lobo se aproximar e não soube o que fazer. Então entrou na vasilha para se esconder, e, assim fazendo, a vasilha emborcou e rolou o morro com o porco dentro, o que assustou tanto o lobo que ele correu para casa sem ir à feira. Voltou à casa do porquinho e contou como ficara assustado ao ver algo redondo e enorme rolando morro abaixo e passando por ele. Então o porquinho disse:

– Ah, assustei você, hein? Fui à feira, comprei uma vasilha grande de manteiga e, quando o vi, entrei na vasilha e rolei morro abaixo.

Então o lobo ficou furioso de verdade, declarou que iria comer o porquinho e que desceria pela chaminé atrás dele. Quando o porquinho percebeu o que o lobo pretendia fazer, encheu uma panela com água e ateou fogo por baixo. E, bem quando o lobo descia pela chaminé, tirou a tampa da panela, e o lobo caiu dentro dela. O porquinho voltou a cobrir a panela depressa e em um instante ferveu o lobo; então o comeu no jantar, vivendo feliz para sempre depois disso.

O mestre e seu aprendiz

Era uma vez, no norte do país, um homem muito estudado, que falava todos os idiomas da face da Terra e que conhecia todos os mistérios da Criação. Ele possuía um grande livro encadernado com pele de bezerro negro e com fecho e bordas de ferro, que ficava acorrentado a uma mesa firmemente presa ao assoalho; para ler seu livro, ele o destrancava com uma chave de ferro, e só ele e mais ninguém o lia, pois continha todos os segredos do mundo espiritual. Dizia quantos anjos havia no céu, como marchavam em fileiras, como cantavam nos coros, quais eram suas diversas funções e qual o nome de cada grande anjo poderoso. E falava também dos demônios, quantos havia, quais eram seus diversos poderes e seus afazeres, seus nomes e como podiam ser invocados, como se podia impor-lhes tarefas e como podiam ser acorrentados para serem escravos do homem.

Acontece que o mestre tinha um aprendiz, um rapaz muito tolo, que servia de criado para o grande homem e não tinha permissão de abrir o livro, muito menos de entrar no quarto particular onde ele se encontrava.

Certo dia o mestre estava fora, e então o rapaz, muito curioso, correu para o quarto onde o sábio guardava seus maravilhosos artefatos para transformar cobre em ouro e chumbo em prata, onde ficava seu espelho, que lhe mostrava tudo o que acontecia no mundo, e também a concha do mar que, quando encostada ao ouvido, sussurrava todas as palavras que estavam sendo ditas por qualquer pessoa que o mestre desejasse ouvir. O rapaz já tentara em vão, com um crisol, transformar cobre e chumbo em ouro e prata; fitara longa e futilmente o espelho onde surgira fumaça e nuvens, mas nada conseguira ver claramente, e a concha do mar junto ao seu ouvido produzira apenas murmúrios indistintos, como o mar quebrando a distância em uma praia desconhecida.

– Nada posso fazer – lamentou –, já que desconheço as palavras dos encantamentos encerradas naquele livro.

Olhou em volta e... maravilha! O livro estava destrancado; o mestre se esquecera de trancá-lo antes de sair. O rapaz correu para ele e abriu o volume. Estava tudo escrito com tinta preta e vermelha, e a maioria das palavras ele não conseguiu entender; porém, colocou o dedo sobre uma linha e repetiu em voz alta o que lia.

Imediatamente, o quarto ficou às escuras e a casa tremeu; o barulho de um trovão ecoou no corredor e no velho quarto, e diante do rapaz surgiu uma forma horrível, horrível, cuspindo fogo e com olhos que pareciam lâmpadas incandescentes. Era o demônio Belzebu, que o rapaz invocara para servi-lo.

– Ordene que eu faça um trabalho! – pediu o demônio com uma voz assustadora e tenebrosa.

O rapaz tremia, e seus cabelos ficaram em pé.

– Ordene alguma coisa, ou vou estrangulá-lo!

Mas o rapaz não conseguia falar. Então o espírito maligno se aproximou dele e, estendendo as mãos, tocou sua garganta. Os dedos queimaram-lhe a pele.

– Ordene que eu faça um trabalho!

– Coloque água nas flores – gritou o rapaz desesperado, apontando para um gerânio em um vaso no chão.

Imediatamente o espírito deixou o quarto, mas voltou no instante seguinte com um barril nas costas e despejou o conteúdo na flor; ia e voltava, e derramava cada vez mais água, até que ela inundou o chão e alcançou os tornozelos do rapaz.

– Chega, chega! – gritou o rapaz, apavorado, mas o demônio não lhe obedeceu; o aprendiz desconhecia as palavras para mandar Belzebu embora, e este continuava a buscar água.

A água alcançou os joelhos do rapaz, e o demônio continuava a despejá-la, até que ela alcançou a cintura do aprendiz. Belzebu continuava a trazer barris de água, que logo chegou às axilas do rapaz, e ele subiu na mesa. A água subiu mais e atingiu a janela, molhando a vidraça e fazendo redemoinhos em volta dos pés do rapaz sobre a mesa. E a água subiu tanto que alcançou o peito do rapaz. Em vão ele gritava; o espírito maligno não parava e estaria jogando água até hoje, afogando Yorkshire inteira. Mas, durante sua viagem, o mestre lembrou que não trancara o livro, por isso voltou, e, no momento em que a água alcançava o queixo do seu aluno, entrou correndo no quarto e disse as palavras mágicas que fizeram Belzebu retornar para seu mundo de fogo.

O rato Titty e o rato Tatty

Os dois viviam em uma casa.

O rato Titty foi alugar uma casa, e o rato Tatty foi alugar uma casa.

Então os dois foram alugar uma casa.

O rato Titty alugou uma espiga de milho, e o rato Tatty alugou uma espiga de milho.

Então os dois alugaram uma espiga de milho.

O rato Titty fez um pudim, e o rato Tatty fez um pudim.

Então os dois fizeram um pudim.

E o rato Tatty colocou seu pudim na panela para ferver.

Mas, quando Titty foi colocar o seu também, a panela virou e o escaldou até a morte.

Então Tatty sentou e chorou; daí um banquinho de três pernas perguntou:

– Tatty, por que está chorando?

– Titty morreu – disse Tatty –, por isso estou chorando.

– Então – disse o banquinho – vou pular. – E o banquinho pulou.

Aí uma vassoura que estava no canto perguntou:

– Banquinho, por que pula?

– Oh! – exclamou o banquinho. – Titty morreu e Tatty está chorando, então eu pulo.

– Então – disse a vassoura – vou varrer. – E começou a varrer.

– Ahhh – murmurou a porta. – Vassoura, por que está varrendo?

– Oh! – lamentou a vassoura. – Titty morreu, Tatty está chorando, e o banquinho pula, então eu varro.

– Então, nesse caso – disse a porta –, vou ranger. – E a porta rangeu.

– Então – perguntou a janela –, porta, por que está rangendo?

– Oh! – exclamou a porta. – Titty morreu, Tatty está chorando, o banquinho pula, a vassoura varre, então eu ranjo.

– Então – disse a janela –, vou estalar. – E a janela estalou.

E havia uma antiga fôrma do lado de fora da casa, e, quando a janela estalou, a fôrma perguntou:

– Janela, por que está estalando?

– Oh! – contou a janela. – Titty morreu, Tatty está chorando, o banquinho pula, a vassoura varre, a porta range, então eu estalo.

– Ora – disse a fôrma antiga –, vou correr em volta da casa. – E a fôrma antiga correu em volta da casa.

E havia uma bela e grande nogueira que crescia junto ao chalé, e a árvore perguntou para a fôrma:

– Fôrma, por que está correndo em volta da casa?

– Oh! – respondeu a fôrma. – Titty morreu, Tatty está chorando, o banquinho pula, a vassoura varre, a porta range, a janela estala, então eu corro em volta da casa.

– Então – disse a nogueira –, vou espalhar minhas folhas. – E a nogueira espalhou suas belas folhas verdes.

Depois havia um passarinho empoleirado em um dos ramos da árvore, e, quando todas as folhas caíram, ele perguntou:

– Nogueira, nogueira, por que espalhou suas folhas?

– Oh! – respondeu a árvore. – Titty morreu, Tatty está chorando, o banquinho pula, a vassoura varre, a porta range, a janela estala, a antiga fôrma corre em volta da casa, então eu espalho minhas folhas.

– Nesse caso – disse o passarinho –, vou mudar todas as minhas penas.

E havia uma garotinha caminhando embaixo da árvore, carregando uma jarra com leite para o jantar de seus irmãos e irmãs, e, quando viu o pobre passarinho mudando todas as suas lindas penas, perguntou:

– Passarinho, passarinho, por que está mudando todas as suas penas?

– Oh! – respondeu o passarinho. – Titty morreu, Tatty está chorando, o banquinho pula, a vassoura varre, a porta range, a janela estala, a antiga fôrma corre em volta da casa, a nogueira espalha suas folhas, então eu mudo minhas penas.

– Nesse caso – disse a garotinha –, vou derramar o leite.

Então ela deixou a jarra cair e derramou o leite.

E eis que havia um homem idoso no alto de uma escada colocando sapê no telhado, e, quando ele viu a garotinha derramar o leite, perguntou:

– Garotinha, o que quer provar derramando todo o leite? Seus irmãozinhos e irmãzinhas ficarão sem jantar.

Daí a garotinha respondeu:

– Titty morreu, Tatty está chorando, o banquinho pula, a vassoura varre, a porta range, a janela estala, a antiga fôrma corre em volta da casa, a nogueira espalha suas folhas, o passarinho muda as penas, então eu derramei o leite.

– Oh! – exclamou o velho –, então vou cair da escada e quebrar o pescoço.

E ele caiu da escada e quebrou o pescoço; e, quando isso aconteceu, a grande nogueira desmoronou com estrondo, desestabilizou a fôrma antiga e a casa, e a casa desmoronou, derrubando a janela, que derrubou a porta, que fez cair a vassoura, e a vassoura derrubou o banquinho, e o pobrezinho do Tatty foi soterrado nos escombros.

Jack e sua caixa de rapé de ouro

Era uma vez, em uma época muito boa, embora não fosse a sua época, nem a minha, nem a de ninguém, um velho e uma velha que tinham um filho e moravam em uma grande floresta. O filho jamais vira outra pessoa na vida, porém sabia que existia mais gente no mundo além de seu pai e sua mãe, porque possuía muitos livros e costumava ler todos os dias a respeito dessas pessoas. E, quando lia sobre alguma jovem bonita, ficava louco para conhecer algumas delas; até que um belo dia, quando seu pai estava fora cortando lenha, disse à mãe que queria ir embora para viver em outro país e conhecer outras pessoas além dos pais. Ele disse:

– Não vejo nada a não ser árvores frondosas ao meu redor; e, se continuar a viver aqui, talvez enlouqueça antes de conhecer alguma outra coisa.

Durante todo esse tempo que o rapaz conversava com a pobre mãe, o pai estava fora.

A velha disse ao filho antes que ele saísse:

– Ora, ora, meu pobre menino, se deseja ir, é melhor que vá, e que Deus o acompanhe. – A velha desejava o melhor para o filho quando disse isso. – Mas fique um pouco ainda antes de partir. O que mais gostaria que eu preparasse para você: um bolinho com minha bênção ou um bolo grande com minha maldição?

– Céus! – exclamou o rapaz. – Faça-me um bolo grande. Talvez sinta fome na estrada.

A velha fez o bolo grande, depois subiu no telhado da casa e amaldiçoou o filho enquanto o via na estrada.

O rapaz acabou encontrando o pai, e o velho lhe perguntou:

– Para onde vai, meu pobre rapaz?

Quando o filho lhe contou a mesma história que contara para a mãe, o pai disse:

– Escute, lamento vê-lo partir, mas, se já se decidiu, é melhor que vá.

O pobre rapaz não fora muito longe quando o pai o chamou de volta; então o velho tirou do bolso uma caixa de rapé de ouro e disse ao filho:

– Tome, pegue esta caixinha e guarde no bolso, e trate de não a abrir até estar próximo da morte.

E lá foi o pobre Jack estrada afora. Caminhou até ficar exausto e sentia-se faminto porque já comera todo o bolo na estrada; e a essa altura a noite caíra, portanto mal conseguia ver o caminho à frente. Distinguiu uma luz a uma grande distância, caminhou naquela direção e, quando achou a porta dos fundos de uma casa, bateu, até que uma empregada veio abrir, perguntando o que ele queria. Jack respondeu que a noite caíra e que desejava um lugar para dormir. A empregada o deixou entrar e ficar perto da lareira, deu-lhe bastante comida, boa carne, pão e cerveja; e, enquanto Jack comia junto ao fogo, a jovem senhora da casa entrou para vê-lo, e os dois se apaixonaram à primeira vista.

E a jovem senhora correu a contar para o pai, dizendo que havia um belo rapaz na cozinha, nos fundos; e prontamente o senhor veio ver Jack e o interrogou, perguntando que tipo de trabalho poderia fazer. O simplório

Jack respondeu que poderia fazer qualquer coisa; com isso queria dizer que poderia fazer qualquer trabalho insignificante que fosse preciso na casa.

– Bem – disse o senhor –, se pode fazer qualquer coisa, às oito horas da manhã quero ter um grande lago e alguns dos maiores navios de guerra navegando na frente da minha mansão, e o maior desses navios deverá dar uma salva real de tiros, e o último tiro deverá quebrar a perna da cama de minha filha mais nova. Se você não fizer isso, melhor dizer adeus à vida.

– Muito bem – concordou Jack.

E lá foi para a sua cama, fazendo suas preces em silêncio e dormindo até quase oito horas da manhã seguinte. Mal tivera tempo para pensar em tudo que tinha de fazer, quando de repente se lembrou da caixinha de rapé de ouro que seu pai lhe dera. E disse para si mesmo: "Bem, bem, jamais estive tão perto da morte como agora". Então enfiou a mão no bolso e tirou a caixinha. Quando a abriu, saltaram dela três homenzinhos vermelhos que lhe perguntaram:

– O que deseja de nós?

– Desejo um grande lago e alguns dos maiores navios de guerra do mundo na frente desta mansão, e que um dos grandes navios faça uma salva real de tiros, e que o último tiro quebre a perna da cama onde a mais jovem senhora está dormindo – respondeu Jack.

– Muito bem – disseram os homenzinhos –, volte a dormir.

Jack mal dissera aos homenzinhos o que precisavam fazer quando, às oito horas em ponto, *bang-bang-bang,* ouviu soar a salva de tiros no maior dos navios, o que fez Jack pular da cama para olhar pela janela. E posso garantir a vocês que foi uma visão maravilhosa para ele, depois de viver tanto tempo com o pai e a mãe em uma floresta.

A essa altura Jack já se vestira e fizera suas orações. Desceu muito sorridente, porque estava orgulhoso por tudo ter dado tão certo. O amo veio procurá-lo e disse:

– Escute, meu jovem, devo admitir que você é muito esperto. Venha tomar seu café da manhã. – E acrescentou: – Agora há ainda duas coisas que precisa fazer, e então poderá casar com minha filha.

Jack tomou seu café e olhou de soslaio longamente para a jovem, assim como ela olhou para ele.

O pedido seguinte do senhor foi que Jack derrubasse todas as grandes árvores por vários quilômetros ao redor da mansão até as oito horas da manhã seguinte. Para encurtar minha história, isso foi feito, o que deixou o senhor muito feliz. E ele disse a Jack:

– O último pedido que você deve cumprir é construir um grande castelo sustentado sobre doze pilares dourados; e regimentos de soldados deverão chegar e fazer suas manobras militares. Às oito horas o oficial comandante deverá dizer: "Ombros para cima".

– Está bem – respondeu Jack.

Quando a terceira manhã surgiu, o último grande feito foi realizado, e ele conseguiu a jovem em casamento, mas, oh, céus!, o pior estava por vir.

O senhor da mansão deu uma grande festa de caça e convidou todos os outros cavalheiros do país para verem o castelo. Agora Jack tinha um belo cavalo e bonitas roupas escarlate para combinar. Nessa manhã, quando seu criado particular arrumava suas roupas depois de Jack tê-las trocado por vestimentas de caça, colocou a mão nos bolsos do colete do rapaz e retirou a caixinha de ouro que ele deixara ali por esquecimento. O homem abriu a caixinha, e de lá saltaram os três homenzinhos vermelhos, que lhe perguntaram o que desejava deles.

– Muito bem – respondeu o criado particular –, desejo que este castelo seja transladado daqui para muito longe, além-mar.

– Atenderemos seu pedido – disseram os homenzinhos vermelhos para ele. – E deseja ir junto?

– Sim – respondeu o criado.

– Está certo, fique de pé – mandaram os homenzinhos; e lá foram o castelo e o criado para muito longe, além-mar.

Nesse ínterim, a grande comitiva de caça voltou, e o castelo sobre os doze pilares dourados havia desaparecido, para grande frustração de todos os senhores que jamais o haviam visto. Ameaçaram o pobre e tolo Jack de afastar sua jovem e linda esposa dele por ter enganado a todos daquela maneira. Mas por fim o pai de sua esposa fez um acordo com ele: Jack teria o prazo de doze meses e um dia para encontrar o castelo. E lá foi Jack, montado em um bom cavalo e com dinheiro no bolso, na tentativa de cumprir o acordo.

O pobre Jack foi em busca do seu castelo perdido, passando por colinas, vales e montanhas, através de florestas cerradas e pastagens de ovelhas, mais longe do que eu poderia ou imaginaria dizer a vocês, até que por fim chegou ao lugar onde morava o rei de todos os camundongos do mundo. Havia um ratinho de sentinela no portão da frente que levava ao palácio, e ele tentou impedir que Jack prosseguisse. Mas Jack perguntou ao camundongo:

– Onde mora o rei? Gostaria de vê-lo.

O ratinho sentinela mandou que outro levasse Jack até o rei; e, quando o rei o viu, fez com que entrasse. E o rei o interrogou e perguntou para onde Jack ia. Jack contou toda a verdade, que perdera o grande castelo e que estava procurando por ele, e que tinha doze meses inteiros e um dia para encontrá-lo. Jack então perguntou ao rei se sabia alguma coisa a respeito. O rei respondeu:

– Não, mas sou o rei de todos os camundongos do mundo, e convocarei a todos pela manhã para saber se viram alguma coisa.

Então Jack recebeu uma boa refeição e lhe ofereceram uma cama. Pela manhã ele e o rei foram ao campo, e o rei convocou todos os camundongos, perguntando se haviam visto o grande e belo castelo sustentado por pilares dourados. Todos os ratinhos responderam que não, que nenhum deles o vira. O velho rei disse então a Jack que tinha dois irmãos.

– Um deles é o rei de todas as rãs, e o outro, que é o mais velho, é o rei de todos os pássaros do mundo. Se você os procurar, talvez saibam algo sobre o castelo perdido. – Depois acrescentou: – Deixe sua montaria aqui comigo até regressar e leve um dos meus melhores cavalos e este bolo para meu irmão. Ele saberá quem foi que lhe enviou os presentes. Diga que estou bem e que gostaria de vê-lo.

Depois o rei e Jack trocaram um aperto de mão.

Quando Jack estava deixando os portões, o ratinho perguntou se poderia acompanhá-lo, e Jack respondeu:

– Não, porque posso criar problemas com o rei.

E o bichinho disse para ele:

– Será melhor que me deixe acompanhá-lo; talvez eu lhe faça algum bem sem que você saiba.

– Então pule aqui.

E o ratinho subiu na perna do cavalo, que se sacudiu; depois Jack colocou o camundongo no bolso.

Então, depois de dar adeus ao rei e de guardar o ratinho que era a sentinela, ele seguiu seu rumo; havia um longo caminho a percorrer, e era apenas o primeiro dia. Por fim, Jack encontrou o reino do rei das rãs; e lá estava uma das rãs de sentinela com a arma ao ombro, e ela tentou impedir que Jack entrasse. Mas, quando Jack lhe disse que desejava ver o rei, permitiu que ele passasse; e Jack foi até a porta. O rei saiu e perguntou o que ele queria; o rapaz contou tudo do início ao fim.

– Está bem, entre.

Jack se divertiu bastante naquela noite, e pela manhã o rei emitiu um som engraçado e reuniu todas as rãs do mundo. Então lhes perguntou se sabiam ou se haviam visto algo a respeito de um castelo sobre doze pilares dourados; e todas as rãs fizeram um som engraçado, *cro-cro*, e responderam que não.

Jack recebeu outro cavalo e também um bolo para levar ao irmão do rei, que era o soberano de todas as aves do céu. E, quando estava deixando os portões, a pequena rã que estava de sentinela perguntou se poderia acompanhá-lo. Jack começou por recusar, mas por fim disse para a rã pular sobre o cavalo e a colocou no outro bolso de seu colete. E lá se foi de novo em sua grande e longa jornada. Dessa vez o caminho foi três vezes mais longo do que na primeira jornada. Entretanto, encontrou o outro castelo, e havia um belo pássaro como sentinela. Jack passou por ele sem lhe dirigir a palavra e conversou com o rei, contando tudo sobre o castelo desaparecido.

– Bem – disse o rei –, pela manhã saberá se meus pássaros sabem de alguma coisa ou não a esse respeito.

Jack deixou seu cavalo no estábulo, comeu o que lhe serviram e depois foi dormir. Quando se levantou pela manhã, ele e o rei foram até um campo; ali o rei fez um som engraçado, e lá surgiram todas as aves do mundo. O rei lhes perguntou se haviam visto o lindo castelo, e todas as aves responderam que não.

– Então – perguntou o rei –, já sabem onde está o grande pássaro?

Precisaram esperar por muito tempo para que a águia surgisse por fim, toda suada, depois que dois passarinhos foram enviados ao alto para lhe dizer que viesse às pressas. O rei perguntou para o grande pássaro:

– Viu o grande castelo?

E o pássaro respondeu:

– Sim, vim do lugar onde ele está agora.

– Ótimo – replicou o rei. – Este jovem cavalheiro o perdeu, e você precisa acompanhá-lo até lá. Mas primeiro vá comer alguma coisa.

Mataram um ladrão e enviaram a melhor parte de seu corpo para alimentar a águia, para que realizasse sua viagem sobre os mares, carregando Jack nas costas. Por fim, quando avistaram o castelo, não souberam o que fazer para recuperar a caixinha de ouro.

– Escutem – disse o ratinho para eles –, levem-me para baixo e pegarei a caixinha para vocês.

Então o camundongo se esgueirou para dentro do castelo e pegou a caixa, mas, quando estava descendo as escadas, o objeto caiu, e quase pegaram o ratinho, que saiu do castelo correndo com a caixa, às gargalhadas.

– Pegou? – perguntou Jack:

– Sim – respondeu o ratinho.

E lá foram eles de volta, deixando o castelo para trás.

Quando Jack, o camundongo, a rã e a águia passavam por cima do vasto mar, começaram a discutir sobre quem de fato conseguira a caixinha, até que o objeto, que passava de mão em mão, caiu nas águas e foi para o fundo do mar. E disse a rã:

— Sabia que teria de fazer alguma coisa, portanto é melhor que me deixem mergulhar na água.

E deixaram que ela fosse, e a rã mergulhou por três dias e três noites; ao final desse tempo, tirou o nariz e a boquinha para fora da água, e todos lhe perguntaram:

— Conseguiu?

E a rã respondeu que não.

— Então o que está fazendo aí embaixo?

— Nada — a rã respondeu. — Só quero recuperar o fôlego.

E a pobrezinha voltou a mergulhar, ficou no mar por mais um dia e uma noite, e depois desse tempo conseguiu reaver a caixinha.

E lá se foi o grupo, depois de quatro dias e noites sobre o mar. E, após uma longa viagem sobre mares e montanhas, chegaram ao palácio do velho rei que era o senhor de todas as aves do mundo. E o rei ficou muito orgulhoso por revê-los, e os recebeu com carinho e uma longa conversa. Jack abriu a caixinha e disse aos homenzinhos para voltarem e trazerem o castelo ali para eles.

— E voltem o mais depressa possível — pediu.

Os três homenzinhos partiram e, quando se aproximaram do castelo, ficaram com receio de levá-lo, porque o senhor e a senhora, além de todos os criados, estavam lá dentro. Quando saíram para um baile, só restaram no castelo a cozinheira e outra criada com ela. Então os três homenzinhos lhes perguntaram se preferiam ir com eles ou ficar. E as duas responderam:

— Vamos com vocês.

Então os três homenzinhos pediram que as duas subissem depressa. Mal haviam subido e se metido em uma sala do palácio quando surgiram o senhor e a senhora, e todos os demais criados; mas era tarde demais. Lá se foi o castelo nos ares a toda a velocidade, com as duas mulheres rindo para eles da janela, enquanto os que ficaram faziam acenos para que parassem, mas em vão.

Sua viagem durou nove dias, durante os quais tentaram respeitar o domingo, quando um dos homenzinhos fez o papel de padre, o outro de coroinha e o terceiro de organista, e as mulheres formaram o coro, porque havia uma grande capela no castelo. Para sua surpresa, ouviram umas notas desafinadas na música, e um dos homenzinhos subiu em um dos tubos do órgão para verificar de onde vinha o som desagradável. Aí descobriram que o som vinha das duas mulheres, que riam do homenzinho vermelho organista que tentava alcançar os tubos da parte inferior do órgão com as perninhas curtas e os dois bracinhos ao mesmo tempo, usando seu gorrinho vermelho de dormir, que nunca tirava. Era uma cena que elas nunca haviam visto antes, e não puderam evitar o riso para aliviar a tensão. Mas que lástima! Quase não concluíram sua missão e estiveram todos muito próximos do perigo, pois o castelo esteve prestes a afundar no meio do oceano.

Por fim, após uma viagem divertida, voltaram para o reino do rei de todos os pássaros do mundo, que ficou muito impressionado com a visão do castelo e, subindo as escadas douradas, foi examinar seu interior.

O rei gostou muito do castelo, mas o prazo de doze meses e um dia do pobre Jack estava chegando ao fim; e, como ele ansiava por voltar para casa e para sua jovem esposa, ordenou que os três homenzinhos se preparassem na manhã seguinte às oito horas para partir para os domínios do outro rei irmão, e ali parar por uma noite. Depois prosseguiriam dali até o último dos irmãos, o mais moço, o senhor de todos os camundongos do mundo, onde o castelo seria deixado aos seus cuidados até segunda ordem. Jack se despediu do rei de todos os pássaros e lhe agradeceu muito pela hospitalidade.

Lá foram Jack e seu castelo de novo; pararam uma noite no segundo reino e dali foram para o terceiro lugar, deixando o castelo aos cuidados do rei. Como Jack necessitava deixar o castelo para trás, precisou pegar seu próprio cavalo, que ali ficara em sua primeira parada.

O pobre Jack afastou-se do reino e encarou a volta ao lar. Depois de se divertir muito com os três homenzinhos todas as noites, ficou sonolento sobre o cavalo, e ia saindo da estrada, não fosse pela ajuda dos três que o guiavam. Por fim chegou, exausto, e não o receberam com muita gentileza, porque pensaram que ele não encontrara o castelo roubado. Para piorar a situação, Jack ficou desapontado quando sua jovem e linda esposa não veio recebê-lo, impedida pelos pais. Mas essa situação não durou muito; Jack comandou com energia e despachou os três homenzinhos para que trouxessem o castelo de volta até ali, e em breve eles foram e o trouxeram.

Jack apertou a mão do rei e agradeceu muito por receber de presente o castelo. Deu instruções para os homenzinhos, que saíram às pressas e logo voltaram com sua jovem esposa. Ela veio encontrá-lo grávida do filhinho deles, e todos viveram felizes para sempre.

A história dos três ursos

Era uma vez três ursos que moravam juntos em sua casa própria, em um bosque. Um deles era um urso pequenino, o segundo era um urso de tamanho médio, e o outro era um grande, enorme urso. Cada um tinha sua tigela de mingau: uma tigelinha para o urso pequenino, uma tigela média para o urso médio e uma grande tigela para o grande urso. E cada um também tinha sua poltrona para sentar: uma poltroninha para o urso pequenino, uma poltrona de tamanho médio para o urso médio e uma grande poltrona para o urso enorme. E cada um também tinha sua cama de dormir: uma caminha para o urso pequenino, uma cama média para o urso médio e uma cama grande para o urso grande.

Certo dia, depois que haviam preparado seu mingau para o café da manhã e colocado em suas tigelas, foram para o bosque enquanto o mingau esfriava; assim não queimariam a boca comendo cedo demais. E, enquanto caminhavam, uma velhinha chegou à casa deles. Ela não era uma mulher boa ou honesta, pois primeiro olhou pela janela e depois pelo buraco da fechadura; e, não vendo ninguém na casa, ergueu a trava da porta, que não estava trancada, porque os ursos eram bons ursos que não faziam mal a ninguém e não suspeitavam que alguém pudesse lhes fazer mal. Então a velhinha abriu a porta, entrou e ficou contente quando viu o mingau sobre a mesa. Caso fosse uma boa velhinha, teria esperado até que os ursos voltassem para casa, e talvez eles a convidassem para o café da manhã, pois eram bons ursos, embora um pouco bruscos, como costumam ser os ursos, mas no geral de boa índole e hospitaleiros. Porém, ela era uma velha descarada e má e começou a se servir do mingau.

Primeiro, provou o mingau do urso grande, que estava quente demais, e disse um palavrão. Depois, provou o mingau do urso médio, que estava frio demais para ela, e disse outro palavrão por causa disso. Então, provou o mingau do urso pequenino, que não estava nem muito quente nem muito frio, estava na temperatura certa; e ela gostou tanto que comeu tudo. Porém, a velha mal-educada disse um palavrão também, porque a tigelinha não tinha mingau suficiente para ela.

Depois a velhinha se sentou na poltrona do urso grande, que era muito dura para ela. Então se sentou na poltrona do urso médio, que era macia demais para ela. Por fim se sentou na poltrona do urso pequenino, que não era nem dura nem macia demais, era na medida certa. Então ela se acomodou ali e se refestelou tanto que o fundo da poltrona cedeu, e a rechonchuda caiu no chão. E a velha mal-educada disse um palavrão, com raiva.

Então a velhinha subiu as escadas para chegar até o dormitório onde dormiam os três ursos. Primeiro ela se deitou na cama do grande urso, mas a cabeceira era alta demais para ela. Então se deitou na cama do urso médio, que era alta demais nos pés para ela. E então se deitou na cama do urso pequenino, que não era alta nem na cabeceira nem nos pés, era na medida certa. Então ela se cobriu confortavelmente e ali ficou até dormir a sono solto.

Os três ursos acharam que seu mingau já estava na temperatura certa, então voltaram para casa a fim de tomar o café da manhã. Mas a velhinha deixara a colher do urso grande enfiada dentro da sua tigela de mingau.

– Alguém provou meu mingau! – reclamou o urso grande com sua voz poderosa, ríspida e áspera.

E, quando o urso médio olhou para o seu mingau, viu que a colher também estava enfiada na tigela. Eram colheres de pau; se fossem de prata, certamente a velha má as teria enfiado no bolso.

– Alguém provou meu mingau! – exclamou o urso médio com sua voz média.

Então o urso pequenino olhou para o seu mingau, e lá estava a colher enfiada na tigela vazia.

– Alguém provou meu mingau e comeu tudo! – choramingou o urso pequenino com sua vozinha fina.

Diante disso, os três ursos, percebendo que alguém entrara em sua casa e devorara o café da manhã do urso pequenino, começaram a olhar em volta. Acontece que a velhinha não pusera no lugar a almofada dura quando se levantara da poltrona do urso grande.

– Alguém sentou na minha poltrona! – reclamou o urso grande com sua voz poderosa, ríspida e áspera.

E a velhinha amassara a almofada macia do urso médio.

– Alguém sentou na minha poltrona! – exclamou o urso médio com sua voz média.

E vocês já sabem o que a velha fizera na terceira poltrona.

– Alguém sentou na minha poltrona e quebrou o assento dela! – exclamou o urso pequenino com sua vozinha.

Então os três ursos acharam necessário fazer uma busca maior e subiram até o dormitório. Ali viram que a velha tirara do lugar o travesseiro do urso grande.

– Alguém deitou na minha cama! – gritou o urso grande com sua voz poderosa, ríspida e áspera.

E a velhinha tirara do lugar o rolo que apoiava o travesseiro do urso médio.

– Alguém deitou na minha cama! – reclamou o urso médio com sua voz média.

E, quando o urso pequenino foi olhar sua cama, o rolo que apoiava o travesseiro estava no lugar, e o travesseiro estava no lugar sobre o rolo, e sobre o travesseiro estava a cabeça feia e suja da velha, que não estava no seu lugar porque ela não tinha direito de dormir lá.

– Alguém deitou na minha cama e continua aí! – exclamou o urso pequenino com sua vozinha fina.

A velha, ainda dormindo, ouviu a voz poderosa, ríspida e áspera do grande urso, mas dormia tão bem que pensou ser o barulho do vento ou o ruído de um trovão; e ouviu a voz média do urso médio, mas foi como se ouvisse alguém falar em um sonho. Porém, quando ouviu a vozinha fina do urso pequenino, o som agudo a acordou de supetão. Ela se ergueu e, quando viu os três ursos a um lado da cama, caiu para o outro lado, levantou e correu para a janela aberta, porque os três ursos, como ursos bons e asseados que eram, sempre abriam a janela de seu quarto pela manhã.

A velha pulou pela janela e, se quebrou o pescoço na queda ou correu para o bosque e se perdeu lá, ou se encontrou seu caminho para fora do bosque e foi presa pelo chefe de polícia e enviada para a Casa de Detenção por ser uma vadia, não sei dizer. Mas os três ursos nunca mais voltaram a vê-la.

Jack, o matador de gigantes

Quando reinava o bom rei Artur, vivia perto dos confins da Inglaterra, no condado da Cornualha, um fazendeiro que tinha um filho único chamado Jack. Ele era vivaz e tinha uma inteligência rápida, de modo que nada nem ninguém o atingia.

Naqueles dias o monte da Cornualha era guardado por um gigante chamado Cormoran. Ele tinha mais de cinco metros de altura e cerca de trezentos centímetros de cintura; com seu humor feroz e sombrio, era o terror de todas as cidades e vilarejos vizinhos. Vivia em uma caverna no meio do monte e, sempre que queria comida, ia até o continente, onde se servia fosse lá do que cruzasse seu caminho. À sua aproximação, todos corriam para fora de casa, enquanto o gigante pegava o gado, carregando nas costas meia dúzia de bois de cada vez com facilidade; e, quanto às ovelhas e os porcos, o gigante os amarrava em volta da cintura, como se fossem enfeites. Ele já fazia isso havia muitos anos, e todo o povo da Cornualha estava desesperado.

Certo dia ocorreu que Jack estava na prefeitura enquanto os magistrados se reuniam para discutir sobre o gigante. Jack perguntou:

– Qual é a recompensa que receberá o homem que matar Cormoran?
– O tesouro do gigante – responderam os magistrados – será a recompensa.
Jack disse:
– Deixem que eu realize essa façanha.
Então ele se muniu de uma trompa, uma pá e uma picareta e subiu o monte no início de uma noite escura de inverno. Começou a trabalhar e, antes do amanhecer, já cavara um buraco de quase sete metros de profundidade e quase a mesma largura, que cobriu com longos pedaços de pau e palha. Depois espalhou barro por cima, de modo que, ao secar, parecia ser terra firme. Então Jack se postou do lado oposto do buraco, o mais longe possível da morada do gigante, e, ao raiar do dia, encostou a trompa na boca e soprou *tarari-tarará*. O barulho acordou o gigante, que saiu às pressas da caverna, gritando:
– Seu vilão incorrigível, veio aqui perturbar meu descanso? Vai pagar caro por esse atrevimento! Vou tomar satisfações, vou pegá-lo e assá-lo inteiro para o meu café da manhã.
Mal dissera isso e caiu no buraco, fazendo o monte estremecer todo.
– Oh, gigante – chamou Jack –, onde está você agora? Oh, céus, caiu em desgraça e sem dúvida será atormentado por causa de suas palavras ameaçadoras. O que pensa agora de me assar para o café da manhã? Nenhuma outra dieta lhe serve além do pobre Jack?
Então, depois de atormentar o gigante um pouco, aproximou-se dele e enfiou com força a picareta no alto de sua cabeça, matando-o sem piedade.
Em seguida Jack encheu o buraco de terra e caminhou até a caverna, onde encontrou muitos tesouros. Quando os magistrados souberam da façanha, declararam que a partir daquele dia Jack seria cognominado Jack, o Matador de Gigantes, e o presentearam com uma espada e um cinturão, onde estavam escritas estas palavras, bordadas com letras douradas:

Este é o verdadeiro herói da Cornualha
Que matou o gigante Cormoran.

As notícias sobre a vitória de Jack logo se espalharam por todo o oeste da Inglaterra, de modo que outro gigante, chamado Blunderbore, ouvindo a respeito, jurou vingar-se de Jack se pusesse os olhos nele. Esse gigante era o senhor de um castelo encantado situado no meio de um bosque solitário. Então Jack, cerca de quatro meses depois de matar Cormoran, passou perto do bosque em seu caminho para Gales. Cansado, sentou-se perto de uma agradável fonte e adormeceu profundamente. Enquanto dormia, o gigante, que fora ali buscar água, viu-o e soube que era o famosíssimo Jack, Matador de Gigantes, por causa das palavras escritas no cinturão. Sem perda de tempo, colocou Jack sobre os ombros e o carregou para o seu castelo. Então, ao passarem por um matagal, o farfalhar dos galhos acordou Jack, que ficou muito surpreso ao se ver nas garras do gigante. Seu terror estava apenas começando, pois, ao entrar no castelo, ele viu o chão coberto de ossos humanos, e o gigante lhe disse que seus ossos estariam em breve junto aos outros. Depois disso, o gigante trancou o pobre Jack em um imenso quarto, deixando-o lá enquanto ia buscar outro gigante, seu irmão, que vivia no mesmo bosque e compartilharia a refeição com ele.

Depois de esperar algum tempo, Jack, indo até a janela, avistou de longe os dois gigantes, que vinham em direção ao castelo.

– Agora – disse Jack para si mesmo –, preciso escolher entre a morte e a libertação.

Havia cordas grossas em um canto do aposento onde Jack estava. Ele pegou duas delas, fez um laço apertado na ponta e, enquanto os gigantes destrancavam o portão de ferro do castelo, jogou as cordas sobre a cabeça de cada um. Em seguida, passou as outras pontas sobre uma viga e apertou o pescoço dos dois gigantes. Então, quando viu que o rosto deles estava escuro, ele deslizou pela corda e, desembainhando a espada, matou os dois. A seguir, pegando as chaves do gigante e destrancando os quartos, encontrou três belas damas amarradas pelos cabelos, quase mortas de fome.

– Doces senhoras – explicou Jack –, eu destruí o monstro e seu irmão brutal, e agora vou libertá-las.

Assim dizendo, deu-lhes as chaves e prosseguiu em sua viagem para o País de Gales.

Jack aproveitou seu tempo da melhor maneira que pôde, viajando o mais rápido possível, mas confundiu-se na estrada e errou o caminho. A noite caiu, e ele não conseguiu encontrar abrigo, até que, chegando a um vale estreito, viu uma grande casa e, a fim de obter refúgio, tomou coragem e bateu no portão. Mas qual não foi sua surpresa quando apareceu um gigante monstruoso com duas cabeças; entretanto, esse não parecia tão violento quanto os outros, pois era um gigante galês e agia com secreta malícia, dando uma falsa impressão de amizade. Jack contou ao gigante em que situação se encontrava e foi conduzido a um quarto onde, na calada da noite, ouviu seu anfitrião em outro quarto murmurar as seguintes palavras:

Embora você se hospede aqui comigo esta noite,
Não verá a luz da manhã.
Minha clava esmagará seus miolos de um só golpe!

– É o que você diz – murmurou Jack. – Deve ser um dos seus truques galeses, mas espero ser astuto o suficiente para enfrentá-lo.

Então, levantando-se, ele colocou uma acha de lenha na cama em seu lugar e se escondeu em um canto do quarto. Ao findar a noite, o gigante galês entrou no quarto e desferiu vários golpes pesados na cama com sua clava, achando então que havia quebrado todos os ossos do corpo de Jack. Na manhã seguinte, Jack, rindo disfarçadamente, agradeceu muito pela hospedagem.

– Descansou bem? – perguntou o gigante intrigado. – Não sentiu nada durante a noite?

– Não – disse Jack. – Nada além de um rato, que me chicoteou duas ou três vezes com o rabo.

Ouvindo isso, muito surpreso, o gigante conduziu Jack para tomar o café da manhã, trazendo-lhe uma tigela com um enorme pudim de quinze quilos feito com mingau e grãos. Receando deixar o gigante pensar que era demais para ele, Jack colocou uma grande sacola de couro por debaixo de seu casaco largo, de tal modo que conseguiu esconder o pudim sem que o outro percebesse. Então, dizendo ao gigante que lhe mostraria um truque, pegou uma faca e rasgou o saco debaixo da roupa, e o pudim foi todo derramado. Diante disso, o gigante resmungou:

– Tolice, qualquer um pode fazer esse truque. – O monstro pegou a faca e, abrindo com ela a própria barriga, caiu morto.

Ora, aconteceu nesses dias que o único filho do rei Artur pediu ao pai que lhe desse uma grande soma em dinheiro, para que pudesse partir em busca de fortuna maior no principado de Gales, onde vivia uma bela dama possuída por sete espíritos malignos. O rei fez de tudo para que o filho desistisse dessa ideia, mas em vão; por fim capitulou, e o príncipe partiu com dois cavalos, um carregado de dinheiro, o outro para ele próprio montar. Então, depois de vários dias de viagem, ele chegou a uma cidade mercantil no País de Gales, onde viu uma grande multidão reunida. O príncipe perguntou o motivo da aglomeração e foi informado de que haviam encontrado um cadáver e que o morto devia muito dinheiro antes de morrer. O príncipe comentou que era lamentável que os credores fossem tão cruéis, e ordenou:

– Enterrem o morto, e que seus credores venham me procurar em meu alojamento, pois suas dívidas serão pagas.

Eles vieram, e eram tantos que antes do anoitecer só restavam dois *pence* para o príncipe.

Jack, o Matador de Gigantes, que viera parar naquele lugar também, ficou tão encantado com a generosidade do príncipe que desejou ser seu servo. Combinado isso, na manhã seguinte partiram juntos em sua jornada. Enquanto cavalgavam para fora da cidade, uma velha chamou o príncipe e disse:

– O morto me devia dois *pence* havia sete anos; por favor, pague-me assim como pagou aos outros.

Enfiando a mão no bolso, o príncipe deu à mulher tudo o que lhe restava, de modo que, depois da refeição daquele dia, que custou o pouco dinheiro que Jack tinha consigo, ficaram sem nenhum tostão.

Quando o sol se pôs, o filho do rei perguntou:

– Jack, não temos dinheiro algum. Onde poderemos nos hospedar nesta noite?

Jack respondeu:

– Alteza, vamos nos dar bem porque tenho um tio que mora a cerca de três quilômetros daqui. Ele é um gigante enorme e monstruoso de três cabeças, que luta contra quinhentos homens de armaduras e os vence facilmente.

– Nossa! – exclamou o príncipe. – E o que faremos lá? Ele certamente nos cortará em dois com a boca. Aliás, não; somos poucos para sequer preencher um de seus dentes ocos!

– Isso não importa – disse Jack. – Eu irei na frente e prepararei o caminho para Vossa Alteza; portanto, fique aqui e espere até eu voltar.

Jack então partiu a toda a velocidade e, chegando ao portão do castelo, bateu tão forte que o som ressoou nas colinas vizinhas. Então o gigante rugiu como um trovão:

– Quem está aí?

Jack respondeu:

– Apenas seu pobre sobrinho Jack.

O gigante replicou:

– Que notícias me traz, meu pobre sobrinho Jack?

Ele respondeu:

– Meu caro, nada de bom. Deus me proteja!

– Que notícias ruins me traz? – perguntou o gigante. – Sou um gigante com três cabeças; além disso, como você sabe, posso lutar com quinhentos homens de armadura e fazê-los voar como palha ao vento.

– Oh, mas – prosseguiu Jack – o filho do rei está a caminho com mil homens de armadura para matar você e destruir tudo que você possui!

– Oh, sobrinho Jack – disse o gigante –, são notícias ruins, de fato! Vou já correr e me esconder; peço que você tranque a porta, passe o ferrolho e me encurrale, e fique com as chaves até que o príncipe vá embora.

Tendo prendido o gigante, Jack foi buscar seu amo, e eles se alegraram de coração, enquanto o pobre gigante ficava escondido em um aposento subterrâneo.

De manhã cedo, Jack forneceu ao amo um novo suprimento de ouro e prata do tesouro do gigante, e depois o fez prosseguir viagem por mais quase cinco quilômetros, para assim o príncipe ficar bem longe do monstro. Então Jack voltou e o deixou sair do esconderijo. O gigante lhe perguntou o que queria em troca de ter impedido a destruição do castelo.

– Ora – disse Jack –, nada além do seu velho casaco, o boné, a velha espada enferrujada e os chinelos que estão na beira da sua cama.

Então o gigante respondeu:

– Não sabe o que está pedindo. São as coisas mais preciosas que possuo! O casaco o deixará invisível, o boné lhe dirá tudo que deseja saber, a espada corta em pedaços tudo que você atingir com ela, e os sapatos fazem correr com uma rapidez extraordinária. Porém você me prestou um grande serviço, então lhe dou tudo isso de bom grado.

Jack lhe agradeceu e partiu com seus pertences. Logo alcançou seu amo, e depressa chegaram à casa da dama que o príncipe procurava. A dama, considerando o príncipe um pretendente, preparou um esplêndido banquete para ele. Quando a refeição terminou, ela comunicou que tinha uma missão para o príncipe. Limpou a boca com um lenço e disse:

– Precisa me mostrar esse lenço amanhã ou perderá a cabeça.

Assim dizendo, guardou o lenço junto ao seio. O príncipe foi para a cama muito aflito, porém o sábio boné de Jack lhe informou como poderia obter o lenço. No meio da noite, a dama invocou seu espírito familiar para que a conduzisse até Lúcifer. Jack enfiou seu casaco da invisibilidade e seus sapatos da velocidade, e lá chegou tão depressa quanto ela. Quando a dama penetrou na morada do Demônio, entregou o lenço para o velho Lúcifer, que o colocou sobre uma prateleira. Então Jack o pegou e o levou para o seu amo, que mostrou o lenço para a dama na manhã seguinte, salvando assim a vida.

Naquele dia, ela deu um beijo no príncipe e disse que ele precisava lhe mostrar os lábios que ela beijara no dia seguinte pela manhã ou perderia a cabeça.

– Ah! – respondeu ele. – Se você não beijar outros lábios além dos meus, farei isso.

– Somente o beijarei – ela replicou. – Caso não faça o que eu disse, a morte o aguardará!

À meia-noite ela voltou a encontrar Lúcifer e ficou zangada por ele ter perdido o lenço.

– Mas agora – disse – vou ser bem dura com o filho do rei, pois beijarei você, e ele terá que me mostrar seus lábios.

Ela beijou Lúcifer e se afastou. Jack, que lá estava também, cortou a cabeça de Lúcifer e a trouxe sob o casaco invisível até seu amo, que, na manhã seguinte, segurou-a pelos chifres e a mostrou para a dama. Isso quebrou o encantamento; os espíritos maus a abandonaram, e ela surgiu em toda a sua beleza. Eles se casaram na manhã seguinte e seguiram até a corte do rei Artur, onde Jack, devido aos seus muitos feitos, foi sagrado um dos Cavaleiros da Távola Redonda.

Pouco tempo depois Jack voltou a procurar por gigantes, e não andara muito quando viu uma caverna e, perto da entrada, um gigante sentado sobre um bloco de madeira, com uma clava de ferro cheia de pontas ao lado. Seus olhos esbugalhados pareciam chamas, suas feições eram sombrias e feias, e sua face lembrava pedaços grandes de *bacon*, enquanto os fios de sua barba faziam pensar em fios de arame; os cabelos que desciam até seus ombros musculosos davam a impressão de cobras enroscadas ou víboras sibilantes.

Jack apeou do cavalo e, vestindo o casaco da invisibilidade, aproximou-se do gigante e disse baixinho:

– Oh! Você está aí? Logo, logo vou agarrá-lo pela barba.

O gigante não podia vê-lo por causa do casaco que o deixava invisível, então Jack, aproximando-se mais do monstro, desfechou um golpe de espada em sua cabeça, mas, errando a mira, acabou em vez disso cortando-lhe o nariz. O gigante rosnou como um trovão e se lançou sobre ele com sua clava de ferro, parecendo louco, porém Jack, correndo por trás, enfiou a espada até o cabo nas costas dele, que caiu morto. Tendo feito isso, cortou a cabeça do monstro e a enviou, junto com a cabeça do irmão dele, que também encontrou por lá e matou, para o rei Artur, por meio de um carroceiro que contratou para essa finalidade.

Então Jack resolveu entrar na caverna do gigante em busca de seu tesouro e, passando por muitos meandros e curvas, chegou por fim a um grande cômodo pavimentado com pedras, onde na extremidade superior havia um caldeirão com água fervendo, e à direita uma mesa grande onde o monstro costumava cear. Jack se aproximou de uma janela com barras de ferro e, olhando por ela, viu um grande número de pessoas presas, que, ao vê-lo, gritaram:

– Ai de nós! Jovem, está aqui para se tornar mais um nesta cova miserável?

– Ficamos presos aqui – disse outro –, até que os gigantes sintam vontade de se regalar, e então o mais gordo de nós é sacrificado! E muitas vezes eles jantam em cima de corpos assassinados!

Jack imediatamente destrancou o portão e os libertou, e todos se rejubilaram como condenados que recebem perdão. Então, depois de procurar e achar os cofres do gigante, Jack dividiu o ouro e a prata igualmente entre todos e os conduziu até um castelo vizinho, onde festejaram, felizes por terem sido libertados.

Mas, em meio a toda essa alegria, um mensageiro trouxe a notícia de que um certo Thunderdell, um gigante de duas cabeças, tendo ouvido falar da morte de seus parentes, viera aos vales do norte para se vingar de Jack e estava a apenas um quilômetro e meio do castelo, esmagando as pessoas que encontrava no seu caminho como se fossem palha. Jack não ficou nem um pouco amedrontado e exclamou:

– Deixem que ele venha! Tenho uma ferramenta para palitar os dentes dele. Senhoras e senhores, saiam para o jardim e testemunharão a morte e a destruição do gigante Thunderdell.

O castelo ficava situado no meio de uma pequena ilha cercada por um fosso de nove metros de profundidade e seis metros de largura, sobre o qual havia uma ponte levadiça. Então Jack convocou homens para cortarem a ponte dos dois lados, quase até o meio; depois, vestindo o casaco que o deixava invisível, marchou para o gigante com sua espada afiada. Embora o gigante não o pudesse ver, farejou a aproximação de Jack e gritou essas palavras:

Fe, fi, fo, fum!
Sinto o cheiro de homem inglês!
Que esteja vivo para eu o matar!
Moerei seus ossos para fazer pão!

– Se diz isso – disse Jack –, é um moleiro monstruoso de verdade.
O gigante voltou a gritar:
– Você é o vilão que matou meus parentes? Então vou retalhá-lo com meus dentes, sugar seu sangue e moer seus ossos até virarem pó.
– Primeiro precisa me pegar – replicou Jack, tirando o casaco da invisibilidade para que o gigante pudesse vê-lo. Calçando os sapatos da velocidade, correu do monstro, que o seguiu como se fosse um castelo ambulante, e as profundezas da terra pareciam estremecer a cada passo que dava. Jack o fez executar uma longa dança, de modo que os senhores e as senhoras pudessem ver, e por fim, para acabar com aquilo, correu depressa pela ponte, enquanto o gigante o perseguia a toda a velocidade com sua clava. Então, chegando ao meio da ponte, o enorme peso do gigante a partiu de vez, e ele afundou na água, onde rolou e chafurdou como uma baleia. Jack, de pé perto do fosso, ria dele o tempo todo; e, apesar de o gigante se enfurecer com seu escárnio e tentar alcançar o fosso, não conseguiu subir para se vingar. Por fim, Jack pegou uma grossa corda e a atirou sobre as duas cabeças do gigante, puxou-o até terra firme com a ajuda de vários cavalos, cortou as duas cabeças com sua espada afiada e as enviou ao rei Artur.
Após algum tempo passado com alegria e diversão, Jack se despediu dos cavaleiros e das damas e partiu para novas aventuras. Passou por muitas florestas e, por fim, chegou ao pé de uma montanha alta. Ali, tarde da noite, encontrou uma casa solitária e bateu à porta, que lhe foi aberta por um velho de cabelos brancos como a neve.

– Senhor – perguntou Jack –, pode dar abrigo a um viajante inculto que se perdeu?

– Sim – disse o velho. – Você é muito bem-vindo ao meu humilde chalé.

Então Jack entrou. Os dois se sentaram juntos, e o velho começou a dizer o seguinte:

– Filho, vejo pelo seu cinturão que é o grande matador de gigantes, mas cuidado, meu caro. No topo desta montanha existe um castelo encantado guardado por um gigante chamado Galligantua, que, com a ajuda de um antigo encantamento, atrai muitos cavaleiros e damas para lá, onde, através de artes mágicas, eles são transformados em diferentes tipos e formas de seres. Mas, acima de todos, lamento pela filha de um duque que o gigante roubou do jardim do pai dela, levando-a pelos ares em uma carruagem em chamas conduzida por dragões de fogo. Depois a prendeu no castelo e a transformou em uma corça branca. E, embora muitos cavaleiros tenham tentado quebrar o encantamento e libertá-la, nenhum deles conseguiu fazê-lo, por causa de dois terríveis grifos com corpo de leão e cabeça e asas de águia que ficam no portão do castelo e destroem qualquer um que se aproxima. Mas você, meu filho, se estiver invisível, poderá passar por eles e encontrará nos portões do castelo, gravado em grandes letras, o modo como o encanto pode ser quebrado.

Jack apertou a mão do velho e prometeu que pela manhã arriscaria a vida para salvar a dama.

Jack acordou de manhã, vestiu seu casaco da invisibilidade, colocou o boné e os sapatos mágicos e se preparou para a luta. Quando chegou ao alto da montanha, logo viu os dois terríveis grifos, mas passou por eles sem medo, por causa do seu casaco; quando se afastou deles, encontrou sobre os portões do castelo uma trombeta dourada presa por uma corrente de prata, na qual estavam gravadas estas linhas:

Quem quer que esta trombeta toque,
Em breve o gigante derrubará,
E logo quebrará o feitiço negro;
Então, todos serão felizes.

Joseph Jacobs

Jack mal acabou de ler e soprou a trombeta, fazendo o castelo estremecer nas fundações e deixando o gigante e seus ajudantes muito confusos, roendo as unhas e arrancando os cabelos, por saberem que seu reinado malvado estava no fim. Então o gigante fez menção de pegar sua clava, e Jack de um só golpe arrancou sua cabeça. Quando o encanto foi quebrado, os comparsas do mal subiram pelos ares e foram levados por um rodamoinho, e todos os senhores e senhoras que há muito tempo haviam sido transformados em pássaros e outros animais recuperaram a forma original, e o castelo desapareceu em uma nuvem de fumaça.

Após isso, a cabeça de Galligantua foi também, do mesmo jeito, enviada à corte do rei Artur logo no dia seguinte, para onde também seguiu Jack com os cavaleiros e damas libertos. Como recompensa pelos bons serviços, o rei intercedeu junto ao duque para que concedesse sua filha em casamento ao honesto Jack. Então eles se casaram, e o reino inteiro se encheu de alegria com as bodas. Além disso, o rei deu a Jack um castelo nobre com lindas terras férteis agregadas, onde ele e sua esposa viveram com grande alegria e felicidade pelo resto da vida.

Henny-penny

Certo dia a galinha Henny-penny estava colhendo milho no milharal quando, *bum!*, alguma coisa atingiu sua cabeça.

– Nossa mãe, o céu vai cair! – exclamou Henny-penny. – Preciso contar para o rei.

Então ela caminhou, caminhou, caminhou, até encontrar o galo Cocky-locky.

– Aonde vai, Henny-penny? – perguntou Cocky-locky.

– Oh! Estou indo contar para o rei que o céu está caindo – disse Henny-penny.

– Posso ir com você? – pediu Cocky-locky.

– Claro que sim – respondeu Henny-penny.

Então Henny-penny e Cocky-locky foram contar ao rei que o céu estava caindo.

Caminharam, caminharam, caminharam, até encontrar o pato Ducky-daddles.

– Aonde vão, Henny-penny e Cocky-locky? – perguntou Ducky-daddles.

– Oh! Estamos indo contar para o rei que o céu está caindo – disseram Henny-penny e Cocky-locky.

– Posso ir com vocês? – pediu o pato.

– Claro que sim – respondeu Henny-penny.

Então Henny-penny, Cocky-locky e Ducky-daddles foram contar ao rei que o céu estava caindo.

Caminharam, caminharam, caminharam e encontraram o ganso Goosey-poosey.

– Aonde vão, Henny-penny, Cocky-locky e Ducky-daddles? – perguntou o ganso.

– Oh! Estamos indo contar para o rei que o céu está caindo – responderam Henny-penny, Cocky-locky e Ducky-daddles.

– Posso ir com vocês? – pediu Goosey-poosey.

– Claro que sim – responderam Henny-penny, Cocky-locky e Ducky-daddles.

Então Henny-penny, Cocky-locky, Ducky-daddles e Goosey-poosey foram contar ao rei que o céu estava caindo.

E caminharam, caminharam, caminharam, até que encontraram Turkey-lurkey, o peru.

– Aonde vão, Henny-penny, Cocky-locky, Ducky-daddles e Goosey--poosey? – perguntou o peru.

– Oh! Estamos indo contar para o rei que o céu está caindo – disseram Henny-penny, Cocky-locky, Ducky-daddles e Goosey-poosey.

– Posso ir com vocês? – pediu Turkey-lurkey.

– Claro que sim – responderam Henny-penny, Cocky-locky, Ducky--daddles e Goosey-poosey.

Então Henny-penny, Cocky-locky, Ducky-daddles, Goosey-poosey e Turkey-lurkey foram contar ao rei que o céu estava caindo.

Caminharam, caminharam, caminharam e encontraram a raposa Foxy-woxy, que perguntou a Henny-penny, Cocky-locky, Ducky-daddles, Goosey-poosey e Turkey-lurkey:

– Aonde vão, Henny-penny, Cocky-locky, Ducky-daddles, Goosey-poosey e Turkey-lurkey?

E eles responderam:

– Estamos indo contar para o rei que o céu está caindo.

– Oh! Mas esta não é a estrada para o palácio do rei, meus amiguinhos – disse a raposa. – Eu conheço a estrada certa; querem que lhes mostre?

– Ora, claro que sim, raposa – disseram eles em uníssono, e junto com Foxy-woxy foram contar ao rei que o céu estava caindo.

Então caminharam, caminharam, caminharam, até que se viram diante de um buraco estreito e escuro. Essa era a entrada da toca da raposa. Mas Foxy-woxy disse aos outros:

– Este é o atalho para o palácio do rei, e logo chegarão lá se me seguirem. Irei à frente, e vocês, atrás.

– Ora, é claro, certamente, sem dúvida, por que não? – concordaram todos os outros.

Então a raposa entrou em sua toca, e não havia avançado muito quando se virou para esperar pelos outros. Então Turkey-lurkey entrou primeiro no buraco escuro que dava para a caverna. Não andara muito quando – *zap!* – a raposa arrancou sua cabeça e atirou seu corpo sobre o ombro esquerdo. Então foi a vez de Goosey-poosey entrar, e – *zap!* – lá se foi sua cabeça, e o corpo do ganso foi atirado sobre o ombro da raposa para ficar ao lado do corpo do peru.

Então o pato Ducky-daddles veio se balançando, e – *zap!* – a raposa o atacou, e a cabeça do pato foi cortada e seu corpo foi colocado ao lado dos corpos do peru e do ganso.

Então o galo Cocky-locky entrou na caverna, e não avançara muito quando – *zup, zap!* – a raposa o atacou, e o corpo do galo foi fazer companhia para o do peru, do ganso e do pato.

Porém, Foxy-woxy dera duas dentadas em Cocky-locky, e, quando a primeira dentada apenas o feriu, ele gritou para alertar Henny-penny, que deu meia-volta e correu, retornando para casa, de modo que nunca chegou a contar para o rei que o céu estava caindo.

O jovem Rowland

O jovem Rowland e seus irmãos estavam jogando bola com sua irmã Burd Ellen.

O jovem Rowland chutou a bola para o alto
E depois a prendeu entre os joelhos.
Por fim deu um belo drible em todos
E chutou a bola por sobre a igreja.

Burd Ellen deu a volta na igreja
Para ver se encontrava a bola,
Mas esperaram muito, e muito tempo,
E ela não retornou.

Eles a procuraram no leste, no oeste,
Para cima e para baixo,
E triste estava o coração dos irmãos
Porque não a encontraram mais.

Por fim, o irmão mais velho procurou o mago Merlin e contou o caso todo para ele, perguntando se sabia onde Burd Ellen estava.

– A bela Burd Ellen – disse o mago Merlin – deve ter sido levada pelas fadas, porque rodeou a igreja no sentido dos ventos, do lado oposto do sol. Agora está na Torre Negra, sob a vigilância do rei, na Terra dos Elfos; e só o mais valente dos cavaleiros da cristandade poderá trazê-la de volta.

– Se é possível trazê-la de volta – disse o irmão –, eu o farei ou morrerei tentando.

– Possível é – disse o mago Merlin –, mas coitado do homem ou filho de mortal que tentar se antes não for muito bem orientado sobre o que fazer.

O irmão mais velho de Burd Ellen não ficou desencorajado pelo medo ou pelo perigo da empreitada, então rogou ao mago Merlin que lhe dissesse o que devia ou não fazer na aventura para resgatar a irmã. E, depois de ter aprendido e repetido em voz alta a lição, começou a viagem para a Terra dos Elfos.

>   Mas esperaram, e esperaram,
>   Com dúvidas e grande pesar,
>   E apertado ficou o coração da mãe e dos irmãos
>   Porque o mais velho não voltou.

Então o segundo irmão se cansou de esperar e procurou o mago Merlin; fez a mesma pergunta que o irmão mais velho e saiu em busca de Burd Ellen.

>   Mas esperaram, esperaram,
>   Com dúvidas e grande pesar,
>   E apertado ficou o coração da mãe e dos irmãos
>   Porque ele também não voltou.

E, depois de esperarem muito, o jovem Rowland, o caçula dos irmãos de Burd Ellen, desejou partir também e foi procurar sua mãe, a boa rainha, para pedir permissão. De início ela não permitiu, pois era o último de seus filhos que lhe restara, e, caso ele se perdesse, tudo estaria perdido; mas ele implorou, implorou, até que por fim a boa rainha o deixou ir e lhe deu a espada de seu pai, que nunca feria em vão. E, quando a colocou na bainha na cintura do filho, recitou o encantamento que faria a espada ser sempre vitoriosa.

Então o jovem Rowland disse adeus à boa rainha, sua mãe, e rumou para a caverna do mago Merlin.

– Mais uma vez, e só esta vez mais – pediu ao Mago –, diga como um homem ou filho de mulher pode recuperar Burd Ellen e meus irmãos.

– Ouça-me, meu filho – disse o mago Merlin –, existem apenas duas coisas, aparentemente simples, mas difíceis de realizar. Uma coisa a fazer e outra a não fazer. Depois de entrar na Terra dos Elfos, até que encontre Burd Ellen, qualquer pessoa que falar com você, seja lá quem for, deve ser abatida com a espada de seu pai, e sua cabeça deve ser decepada. Você não poderá comer nem beber nada, por mais que esteja com fome e com sede; beba umas gotas de líquido ou morda um pedaço de comida enquanto estiver na Terra dos Elfos e nunca mais retornará à Terra Média.

Então o jovem Rowland repetiu as duas recomendações muitas vezes até decorá-las, agradeceu ao mago Merlin e prosseguiu seu caminho. E avançou, avançou, avançou, avançou ainda mais, até encontrar o tratador dos cavalos do Rei dos Elfos, que alimentava os animais. Por causa dos olhos chamejantes do tratador, soube que estava na Terra das Fadas.

– Pode me dizer – perguntou o jovem Rowland para o tratador – onde fica a Torre Negra do rei dos elfos?

– Não posso – disse o tratador –, mas avance mais um pouco e encontrará o homem que cuida das vacas; talvez ele possa lhe responder.

Então, sem mais uma palavra, o jovem Rowland desembainhou a boa espada que nunca falhava, e lá se foi a cabeça do tratador dos cavalos. O jovem Rowland avançou mais, até que alcançou o guardador das vacas e lhe fez a mesma pergunta.

– Não sei responder – disse o homem –, mas caminhe mais um pouco e encontrará a mulher que cuida das galinhas, que certamente sabe a resposta.

Então o jovem Rowland desembainhou sua espada que não feria em vão e fez rolar a cabeça do guardador das vacas. Avançou mais um pouco, encontrou uma velha com um manto cinza e perguntou se ela sabia onde ficava a Torre Negra do rei dos elfos.

– Avance mais um pouco – disse a mulher que cuidava das galinhas – até alcançar um morro verde e redondo, cercado por patamares do pé ao cume; dê a volta no morro três vezes, e a cada vez diga:

Abra, porta! Abra, porta!
E deixe-me entrar.

– E na terceira vez a porta se abrirá, e você poderá entrar.

E o jovem Rowland estava para prosseguir, quando se lembrou do que precisava fazer; então desembainhou sua espada que nunca falhava, e a cabeça da mulher que cuidava das galinhas rolou.

Então andou muito, muito, muito, até alcançar o morro verde e redondo cercado de patamares do sopé ao cume, e deu a volta no morro três vezes, dizendo a cada vez:

Abra, porta! Abra, porta!
E deixe-me entrar.

E na terceira vez a porta se abriu mesmo, e ele entrou; a porta se fechou com um clique, e o jovem Rowland se viu no escuro.

Não estava exatamente uma escuridão, mas uma espécie de penumbra ou lusco-fusco. Não havia ali nem janelas nem velas, e ele não conseguiu dizer de onde vinha a penumbra, talvez fosse através das paredes ou do teto. Havia arcadas rudimentares feitas com uma rocha transparente, incrustadas com prata, vigas de rocha e outras pedras brilhantes. Mas, apesar das rochas, o ar era bem quente, como sempre é na Terra dos Elfos.

Então o jovem Rowland prosseguiu por aquela passagem até que finalmente chegou a duas portas largas e altas que estavam entreabertas. E, quando as abriu, teve uma visão maravilhosa e gloriosa: uma sala grande e espaçosa que parecia ser da grandeza e da largura do próprio morro verde. O teto era suportado por pilares finos e era tão amplo e alto que os pilares de uma catedral nada seriam perto dele. Eram de ouro e prata com entalhes, e à sua volta havia guirlandas de flores feitas do quê, podem imaginar? Ora, de diamantes e esmeraldas, e todo tipo de pedras preciosas. E a pedra angular das arcadas tinha como ornamento incrustações de diamantes, rubis e pérolas, além de outras pedras preciosas.

Todas essas arcadas se encontravam no meio do teto, e bem ali, presa por uma corrente de ouro, havia uma imensa luminária feita de uma enorme pérola oca e transparente. No meio disso havia um enorme rubi que ficava girando sem parar, e seus raios de luz produziam claridade, dando a impressão do pôr do sol.

A sala era mobiliada da mesma maneira grandiosa, e a um canto havia um maravilhoso sofá de veludo, seda e ouro. Ali sentada estava Burd Ellen, penteando os cabelos dourados com um pente de prata. Quando ela viu o jovem Rowland, levantou-se e disse:

Deus tenha pena de você, pobre idiota sem sorte.
O que veio fazer aqui?
Ouça, meu irmão caçula,
Por que não ficou em casa?
Mesmo que tivesse cem vidas,
Não poderia desperdiçar nenhuma.

Mas sente-se. Oh, desgraça!
Por que nasceu
Para vir à Terra do Rei dos Elfos
E acabar com a sua sorte?

Então os dois se sentaram juntos, e o jovem Rowland contou à irmã tudo que fizera, e ela lhe contou como seus outros dois irmãos haviam chegado à Torre Negra, mas que haviam sido enfeitiçados pelo rei dos elfos e jaziam sepultados como mortos. Depois de conversarem mais um pouco, o jovem Rowland começou a sentir fome, por causa da longa viagem. Disse à irmã Burd Ellen que estava faminto e, esquecendo o aviso do mago Merlin, pediu para comer.

Burd Ellen olhou tristemente para o jovem Rowland e balançou a cabeça, mas estava enfeitiçada e não podia alertá-lo. Então levantou-se e saiu, e logo trouxe uma tigela de ouro cheia de pão e leite. O jovem Rowland estava para erguer a tigela aos lábios quando olhou para a irmã e se lembrou do motivo que o fizera vir de tão longe. Então atirou a tigela no chão e disse:

– Nem um gole tomarei, nem uma migalha comerei, até que Burd Ellen seja libertada.

Nesse exato momento ouviram o rumor de alguém se aproximando, e uma voz alta disse:

Fe, fi, fo, fum,
Sinto cheiro de sangue de homem cristão.
Esteja morto ou vivo, com minha espada
Atravessarei seu cérebro pelo topo da cabeça.

As portas da sala se abriram de supetão, e o rei dos elfos irrompeu.

– Então me mate, bicho-papão – gritou o jovem Rowland, e correu a confrontá-lo com sua boa espada que nunca falhava. Eles lutaram, lutaram, lutaram, até que o jovem Rowland venceu o rei dos elfos e o fez ficar de joelhos e implorar, aos gritos, por misericórdia.

– Serei misericordioso – disse o jovem Rowland. – Livre minha irmã dos feitiços, ressuscite meus irmãos e nos deixe partir em segurança. Assim eu pouparei sua vida.

– Concordo – disse o rei dos elfos, erguendo-se e indo até uma arca da qual retirou um frasco cheio de um líquido cor de sangue. Com isso ele untou as orelhas, pálpebras, narinas, lábios e a ponta dos dedos dos dois irmãos enfeitiçados, que se ergueram de imediato, ressuscitando e dizendo que sua alma havia partido, mas que agora retornara.

Então o rei dos elfos pronunciou algumas palavras para Burd Ellen e desmanchou o feitiço, e os quatro irmãos deixaram a sala pela longa passagem, deram as costas para a Torre Negra e nunca mais retornaram. E voltaram para casa, onde a boa rainha, sua mãe, e Burd Ellen nunca mais contornaram uma igreja no sentido dos ventos.

Molly Whuppie

Era uma vez um marido e sua esposa. Como tinham muitos filhos, não conseguiam comprar carne para todos; então pegaram as três crianças menores, que eram todas meninas, e as abandonaram na floresta. As meninas caminharam, caminharam e não conseguiram avistar casa alguma. Começou a escurecer, e ficaram com fome. Por fim viram uma luz e seguiram naquela direção até encontrar uma casa. Bateram à porta, e uma mulher abriu e perguntou:

– O que desejam?

As crianças responderam:

– Por favor, deixe-nos entrar e comer alguma coisa.

A mulher disse:

– Não posso fazer isso, já que meu marido é um gigante e mataria vocês se as encontrasse quando chegasse em casa.

Elas imploraram ainda mais:

– Deixe-nos descansar um pouco – disseram –, e partiremos antes que ele chegue.

Então a mulher as acolheu, fez as meninas sentar-se diante do fogo e lhes deu leite e pão; mas mal haviam começado a comer quando ouviram uma forte batida na porta e uma voz terrível, dizendo:

*Fe-fi-fo-fum,
Sinto cheiro de sangue humano.*

– Quem está com você, mulher?
– Três criancinhas com frio e com fome – disse a esposa –, e logo irão embora. Você não tocará nelas, homem.

O gigante nada disse, comeu um lauto jantar e ordenou que as crianças passassem a noite ali.

Acontece que o gigante tinha três meninas, e elas iriam dormir na cama com as três estranhas.

A caçula das três meninas abandonadas se chamava Molly Whuppie e era muito inteligente. Observou que, antes de irem para a cama, o gigante colocara cordas de palha em volta do pescoço dela e do pescoço das suas irmãs, e ao redor do pescoço de suas filhas passara correntes de ouro. Então Molly tomou cuidado para não adormecer e esperou até ter certeza de que todos dormiam profundamente. Aí deslizou para fora da cama e tirou as cordas de palha do pescoço de suas irmãs e do seu, e tirou as correntes de ouro do pescoço das filhas do gigante. Então passou as cordas de palha no pescoço das meninas do gigante e as correntes de ouro no seu próprio pescoço e nos das irmãs e voltou a se deitar.

No meio da noite, o gigante se levantou, armado com uma enorme clava, e foi tatear os pescoços em que pusera as cordas de palha. Estava escuro. Arrancou as próprias filhas da cama e deu com a clava nelas até morrerem. Depois voltou a se deitar, pensando que dera conta do recado muito bem. Molly refletiu que era hora de sair dali com as irmãs, então as acordou e disse que ficassem quietas e saíssem da casa de fininho. Todas saíram sãs e salvas e correram, correram sem parar até o amanhecer, quando avistaram uma mansão. Acontece que era o castelo de um rei. Molly entrou e contou sua história para o rei, que disse:

– Molly, você é uma garota esperta e se deu bem. Vou lhe pedir para voltar à casa do gigante e roubar a espada dele, que fica pendurada na cabeceira da cama. Darei sua irmã mais velha em casamento para o meu filho mais velho se você fizer isso.

Molly prometeu que tentaria roubar a espada.

Então voltou, deu um jeito de se esgueirar para dentro da casa do gigante e se escondeu debaixo da cama. O gigante voltou para casa, comeu seu lauto jantar e foi dormir. Molly esperou até que ele roncasse, saiu do esconderijo debaixo da cama, estendeu o braço por cima do gigante e retirou a espada; mas, quando passava a espada por cima da cama, fez um barulhinho, e o gigante acordou e pulou. Molly saiu da casa correndo e levando a espada. E correu, correu, até chegar à Ponte de um Fio de Cabelo; Molly passou, mas o gigante não, e ele gritou:

– Infeliz Molly Whuppie! Nunca mais volte aqui.

E ela gritou também:

– Mais duas vezes, monstro, irei para a Espanha.

Então Molly levou a espada para o rei, e sua irmã mais velha se casou com o filho mais velho dele.

Então o rei disse:

– Você se saiu bem, Molly, mas poderia se sair ainda melhor roubando a bolsa que fica embaixo do travesseiro do gigante, e então eu casaria sua segunda irmã com meu segundo filho.

Molly disse que tentaria.

Então rumou para a casa do gigante, esgueirou-se para dentro e se escondeu debaixo da cama, esperando até que o gigante tivesse terminado seu jantar e roncasse, ferrado no sono. Ela deixou seu esconderijo, enfiou a mão embaixo do travesseiro e tirou a bolsa, mas, na hora em que estava saindo do quarto, o gigante acordou e correu atrás dela. E Molly correu, correu, até chegarem os dois à Ponte de um Fio de Cabelo, e ela passou, mas o gigante não, e disse ele:

– Infeliz Molly Whuppie! Nunca mais volte.

– Mais uma vez, monstro, irei para a Espanha.

Então Molly levou a bolsa para o rei, e sua segunda irmã se casou com o segundo filho dele.

Depois disso, o rei disse a Molly:

– Molly, você é uma garota esperta, e caso se esforce ainda mais e roube o anel que o gigante usa, darei você em casamento para meu filho caçula.

Molly prometeu tentar. Então lá foi de volta para a casa do gigante e se escondeu debaixo da cama. Logo o gigante retornou e, depois de comer um lauto jantar, foi para sua cama e em pouco tempo já estava roncando alto.

Molly deixou seu esconderijo pé ante pé, procurou por cima da cama e, com muita coragem, segurou a mão do gigante. Daí puxou, puxou, até que conseguiu tirar o anel do dedo; porém mal o havia tirado quando o gigante se levantou, agarrou-a pela mão e disse:

– Agora a peguei, Molly Whuppie. Se eu tivesse feito tanto mal a você quanto você fez para mim, o que faria comigo?

Molly respondeu:

– Eu o enfiaria em um saco e colocaria dentro o gato, o cachorro, uma agulha, linha e tesoura. Depois colocaria o saco sobre o muro e iria para a floresta; escolheria o pedaço de pau mais grosso que encontrasse, voltaria, tiraria o saco de cima do muro e lhe daria pauladas até que morresse.

– Molly – disse o gigante –, vou fazer exatamente isso com você.

Então ele pegou um saco, colocou Molly lá dentro junto com o gato, o cachorro, uma agulha, linha e tesoura, colocou-o sobre o muro e foi para a floresta escolher um pedaço de pau.

Molly gritou dentro do saco:

– Oh, se você pudesse ver o que estou vendo!

– Oh – disse a mulher do gigante –, o que está vendo, Molly?

Porém Molly não respondeu, apenas continuou a dizer:

– Oh, se você pudesse ver o que estou vendo!

A mulher do gigante implorou que Molly a deixasse ver o que a garota via. Então Molly pegou a tesoura e fez um buraco no saco; levou consigo a agulha e a linha e pulou para baixo, ajudando a mulher do gigante a entrar no saco, e então costurou o buraco.

Já em cima do muro, a mulher do gigante nada viu e começou a pedir para descer de novo e sair dali; mas Molly não deu ouvidos e se escondeu atrás da porta. O gigante voltou para casa com um enorme tronco de árvore na mão, içou o saco para baixo e começou a bater nele com toda a força.

Sua mulher gritou:

– Sou eu, homem!

Mas o cachorro latia e o gato miava dentro do saco, e ele não reconheceu a voz da esposa.

Então Molly saiu de trás da porta, e o gigante a viu e correu atrás dela. Ele correu, e ela correu, até chegarem à Ponte do Fio de Cabelo, e Molly passou por ela, mas ele não conseguiu e berrou:

– Infeliz Molly Whuppie! Nunca mais volte aqui.

– Nunca mais, monstro – ela respondeu –, nunca mais voltarei para a Espanha.

Então Molly levou o anel para o rei e se casou com o filho mais moço dele, e nunca mais viu o gigante.

O gigante vermelho

Havia certa vez uma viúva que vivia em um pequeno pedaço de terra arrendado de um fazendeiro. Ela tinha dois filhos; o tempo passou, e logo chegou o momento de a viúva enviá-los para longe, em busca de fortuna. Um dia, ela disse ao filho mais velho que pegasse uma lata e trouxesse água do poço para que ela lhe fizesse um bolo; e, de acordo com a quantidade de água que ele trouxesse, muita ou pouca, o bolo ficaria grande ou pequeno, e esse bolo seria tudo que ela lhe poderia dar quando ele partisse em viagem.

Lá foi o rapaz com a lata até o poço; ele a encheu de água e depois voltou para casa; mas a lata estava furada, e a maior parte da água escorreu antes que ele voltasse. Então seu bolo ficou muito pequeno; mesmo assim, a mãe lhe perguntou se escolhia levar metade do bolo com sua bênção, porque, disse ela, se escolhesse levar o bolo inteiro, levaria também sua maldição. O rapaz, refletindo que teria de fazer uma longa viagem e ignorando quando ou como conseguiria mais comida, disse que preferia levar o bolo inteiro, mesmo com a maldição da mãe.

Ela lhe deu o bolo inteiro e o amaldiçoou.

Então o rapaz levou o irmão menor para um canto e lhe deu uma faca para que guardasse até sua volta, pedindo que a examinasse todas as manhãs, pois, enquanto ela continuasse limpa, o irmão saberia que o mais velho estava bem; mas se ficasse opaca e enferrujada, então por certo algum mal caíra sobre ele.

Depois disso, o rapaz partiu em busca de fortuna. E caminhou todo aquele dia e o seguinte. No terceiro dia à tarde, encontrou um pastor que tomava conta de ovelhas, foi até ele e perguntou de quem eram aquelas ovelhas; o pastor respondeu:

> *O Gigante Vermelho da Irlanda*
> *Morou em Ballygan*
> *E raptou a filha do rei Malcolm,*
> *Monarca da bela Escócia.*
>
> *O gigante bate nela, prende-a,*
> *Amarra-a com uma cinta;*
> *E todos os dias a golpeia*
> *Com uma vara brilhante de prata.*
> *Como Juliano, o romano,*
> *Ele não teme homem algum.*
>
> *Dizem que há um predestinado*
> *Que será sua ruína mortal;*
> *Mas esse homem ainda não nasceu,*
> *E vai demorar a nascer.*

O pastor também disse ao rapaz para tomar cuidado com as bestas que iria encontrar, pois eram de um tipo diferente de tudo que ele já vira.

Então o rapaz prosseguiu viagem e, tempos depois, viu uma multidão de terríveis bestas de duas cabeças e quatro chifres em cada cabeça. E ficou com tanto medo que correu para longe o mais depressa possível. Ficou feliz ao chegar a uma colina e avistar um castelo com as portas escancaradas, dando para um muro. Ele se dirigiu ao castelo em busca de abrigo e lá viu uma velha sentada junto ao fogo da cozinha. Perguntou à velha se poderia passar a noite ali, já que estava cansado da longa jornada; a velha disse que sim, mas que não era um bom lugar para ele ficar, pois o castelo pertencia ao Gigante Vermelho, que era uma fera terrível de três cabeças e não poupava nenhum homem vivo que encontrasse.

O rapaz teria ido embora, mas estava com medo das feras que encontrara no caminho; então suplicou à velha que o escondesse o melhor possível e não contasse ao gigante que ele estava lá. Pensou que, se sobrevivesse à noite, poderia escapar pela manhã sem topar com as bestas e assim fugir.

Mas não fazia muito tempo que se escondera em um buraco quando o horrível gigante entrou; e, mal entrou, o rapaz o ouviu gritar:

Focinho reto e focinho curvo,
Sinto cheiro de homem mortal.
Mas, vivo ou morto,
Esta noite vou cozinhar seu coração com pão.

Logo o monstro encontrou o pobre rapaz e o arrancou do buraco. E, quando o tirou, disse que, se ele conseguisse responder a três perguntas, sua vida seria poupada.

Então a primeira cabeça do gigante perguntou:

– Uma coisa sem fim, o que é?

Mas o rapaz não sabia.

Então a segunda cabeça perguntou:

– Qual é a coisa que quanto menor mais perigosa é?

Mas o rapaz não sabia.

E então a terceira cabeça perguntou:

– O morto carregando o vivo; resolve essa charada?

Mas o rapaz precisou desistir. Como não pudera responder a nenhuma das perguntas, o Gigante Vermelho pegou um malho e o atingiu na cabeça, transformando-o em um pilar de pedra.

Na manhã após esse acontecimento, o irmão mais moço foi pegar a faca para examiná-la e ficou pesaroso ao vê-la escura e enferrujada. Então disse à mãe que chegara a hora de partir também; e ela pediu que levasse a lata até o poço e trouxesse água para ela lhe fazer um bolo. O rapaz foi, e trazia a água para casa quando um corvo acima de sua cabeça soltou um alerta, e ele percebeu que a água vazava. Como era um jovem de bom senso, ao ver a água escoar, pegou um pouco de barro e tampou os furos, de modo que levou para casa água suficiente para fazer um bolo grande. Quando sua mãe lhe deu a escolha de levar metade do bolo com sua bênção, ele preferiu isso a levar todo o bolo com sua maldição; e mesmo assim metade desse bolo era maior do que o bolo inteiro que o irmão mais velho levara.

Então partiu em viagem e, depois de viajar muito, encontrou uma velha que lhe pediu um pedaço de seu bolo de farinha de trigo. E o rapaz respondeu:

– Darei de bom grado.

E entregou um pedaço de seu bolo de farinha de trigo; em agradecimento, ela lhe deu uma varinha mágica, dizendo que lhe poderia ser útil se a usasse de maneira correta. Então a velha, que era uma fada, contou-lhe muitas coisas que aconteceriam com ele e o que o rapaz deveria fazer em todas as circunstâncias; depois disso, desapareceu em um piscar de olhos.

O rapaz caminhou rapidamente e chegou até o velho pastor de ovelhas; e, quando perguntou de quem eram as ovelhas, a resposta foi:

O Gigante Vermelho da Irlanda
Morou em Ballygan.
E raptou a filha do rei Malcolm,
Monarca da bela Escócia.

O gigante bate nela, prende-a,
Amarra-a com uma cinta;
E todos os dias a golpeia
Com uma vara brilhante de prata.
Como Juliano, o romano,
Ele não teme homem algum.

Mas agora eu temo que seu fim esteja próximo,
Segundo o destino.
E vejo claramente que você será
O herdeiro de todas estas terras.

Quando o rapaz chegou ao lugar onde estavam as bestas, não parou nem correu, apenas caminhou bravamente entre elas. Uma besta veio, furiosa, rugindo com a boca aberta para devorá-lo, mas o rapaz a atingiu com sua varinha, e de imediato ela caiu morta aos seus pés. Logo o rapaz alcançou o castelo do gigante, bateu e foi atendido. A velha sentada junto ao fogo o alertou sobre o terrível gigante e o que acontecera com seu irmão, mas isso não o acovardou. O monstro logo chegou, dizendo:

Focinho reto e focinho curvo,
Sinto cheiro de homem mortal.
Mas, vivo ou morto,
Esta noite vou cozinhar seu coração com pão.

Logo descobriu o esconderijo do rapaz e o fez sair dali. Depois fez as três perguntas; porém, como a fada boa lhe contara tudo, o rapaz pôde responder a todas elas. Então, a primeira cabeça perguntou:
– Uma coisa sem fim, o que é?
– Uma tigela.
E a segunda cabeça perguntou:
– O que é a coisa que quanto menor mais perigosa é?
O rapaz respondeu prontamente:
– Uma ponte.
E por fim a última cabeça perguntou:
– Quando o morto carrega o vivo, pode decifrar essa charada?
Então o rapaz respondeu sem hesitar:
– Quando um navio cheio de homens navega no mar.
Ao ouvir isso, o gigante soube que seu poder terminara.

Então o rapaz pegou um machado e arrancou as três cabeças do monstro; a seguir pediu à velha que lhe dissesse onde estava a filha do rei; e a velha o levou para o andar de cima, abriu muitas portas, e de cada porta saiu uma linda dama que fora aprisionada ali pelo Gigante Vermelho; uma das damas era a filha do rei. A velha também o fez descer até um quarto de teto baixo, e lá havia um pilar de pedra que o rapaz apenas teve que tocar com sua varinha para fazer o irmão voltar à vida.

E todos os prisioneiros ficaram radiantes de felicidade com sua libertação e agradeceram ao rapaz. No dia seguinte todos rumaram para a corte do rei, formando um lindo cortejo.

O rei deu sua filha em casamento para o rapaz que a libertara, e a mão da filha de outro nobre para seu irmão, e todos viveram felizes para sempre.

O braço de ouro

Havia um homem que percorria o mundo em busca de uma esposa. Conheceu jovens e velhas, ricas e pobres, belas e sem graça, e não conseguia decidir-se por nenhuma. Por fim encontrou uma mulher jovem, bonita e rica, que tinha o braço direito de ouro sólido. Casou-se com ela sem hesitação e achou que era o homem mais afortunado do mundo. Viviam felizes juntos e, embora ele desejasse que as pessoas não soubessem, ele gostava mais do braço de ouro da mulher do que de qualquer outra coisa que ela possuía.

Por fim ela morreu. O homem se vestiu todo de preto e fez a cara mais triste possível no enterro, porém, apesar de tudo isso, levantou-se no meio da noite, desenterrou o corpo da esposa e cortou seu braço de ouro; depois correu de volta para casa a fim de esconder seu tesouro, pensando que ninguém descobriria o que fizera.

Na noite seguinte colocou o braço de ouro debaixo do seu travesseiro, e estava adormecendo quando o fantasma da esposa morta surgiu no quarto. Indo para o canto da cama, o espectro fechou as cortinas e fitou o marido com reprovação. Fingindo não estar com medo, ele perguntou ao fantasma:

– O que aconteceu com suas faces, que eram tão rosadas?

– Tudo murchou e desapareceu – respondeu o fantasma com voz soturna.

– O que aconteceu com seus lábios vermelhos?

– Tudo murchou e desapareceu.

– O que aconteceu com seus cabelos dourados?

– Tudo murchou e desapareceu.

– O que fez com o braço de ouro?

– *Está com você!*

A história do Pequeno Polegar

Nos dias do grande rei Artur, vivia um poderoso mago chamado Merlin, o mais sábio e habilidoso feiticeiro que o mundo já conheceu.

Esse famoso mago, que podia adquirir a forma que quisesse, viajava disfarçado de pobre mendigo. Como estava muito cansado, parou no chalé de um lavrador para descansar e pediu um pouco de comida.

O camponês o recebeu bem, e sua esposa, que era uma mulher de muito bom coração, logo lhe trouxe leite em uma tigela de madeira e pão crocante e marrom em um prato.

Merlin ficou muito satisfeito com a bondade do lavrador e sua esposa, mas não pôde deixar de notar que, apesar de tudo ser limpo e confortável no chalé, o casal parecia muito infeliz. Então perguntou o motivo de tal melancolia e soube que eram infelizes porque não tinham filhos.

A pobre mulher disse, com lágrimas nos olhos:

– Eu seria a criatura mais feliz no mundo se tivesse um filho; mesmo que não fosse maior que o polegar do meu marido, ficaria satisfeita.

Merlin achou tanta graça na ideia de um menino do tamanho do polegar de um homem que resolveu conceder o desejo à mulher. Dito e feito, pouco tempo depois a esposa do lavrador teve um filho que – extraordinário! – não era maior do que o polegar do pai.

A rainha das fadas, desejando conhecer o pequenino, veio até a janela do chalé enquanto a mãe estava sentada na cama admirando o filho. Beijou a criança e, dando-lhe o nome de Pequeno Polegar, chamou algumas outras fadas, que vestiram o pequeno afilhado da rainha de acordo com suas ordens:

Uma folha de carvalho como chapéu;
Uma camisa de teia de aranha;
Uma jaqueta feita com penugem de cardo;
Calças de penas.
Meias com aplicações para prender
Com os cílios dos olhos de sua mãe;
Sapatos de pele de camundongo,
Escurecidos com a penugem.

O Pequeno Polegar nunca ultrapassou a altura do polegar de seu pai, que era um homem de tamanho mediano; mas, quando ficou mais velho, tornou-se muito astuto e cheio de manhas. Quando teve idade suficiente para brincar com os outros meninos, perdia todas as suas bolinhas feitas de caroços de cerejas, e então costumava mexer nas sacolas dos amiguinhos, enchia os bolsos e, escapando sem que notassem, voltava a participar do jogo.

Certo dia, quando estava saindo de dentro de uma sacola com bolinhas de cerejas, roubando como sempre, o menino que ele estava roubando o viu.

– Ah, ah! Pequeno Polegar – disse o menino –, por fim o peguei em flagrante roubando minhas bolinhas de cereja; você será punido por seus roubos.

Assim dizendo, amarrou os cordões da sacola com o Pequeno Polegar dentro e sacudiu com tanta força que machucou muito o corpo todo do pequenino. Ele gemeu de dor e implorou para que o outro o soltasse, prometendo nunca mais roubar.

Pouco tempo depois, a mãe de Pequeno Polegar estava fazendo um pudim com farinha, leite e ovos. Polegar, curioso para ver como se fazia isso, subiu para a beirada da tigela, mas escorregou e caiu de cabeça na mistura sem que sua mãe percebesse; ela bateu a massa e a colocou na panela para cozinhar.

A massa encheu a boca do Pequeno Polegar, impedindo-o de gritar; mas, sentindo o líquido quente, ele chutou e lutou tanto na panela que sua mãe pensou que o pudim estava enfeitiçado; tirando-o do fogo, jogou-o porta afora. Um pobre funileiro que passava pegou o pudim do chão, colocou-o no seu alforje e foi embora.

Como o Pequeno Polegar a essa altura já se livrara da massa na boca, começou a gritar bem alto, assustando tanto o funileiro que ele atirou o pudim de volta no chão e correu.

Como o pudim se partiu todo com a queda, Polegar escapou coberto de massa e caminhou para casa. Sua mãe, muito triste por ver o querido filho em estado tão lastimável, colocou-o dentro de uma xícara de chá e logo o lavou para retirar toda a massa; depois o beijou e o pôs na cama.

Logo após a aventura do pudim, a mãe do Pequeno Polegar foi tirar leite da vaca na pradaria, levando o filho consigo. Como o vento estava muito forte e com medo que o menino voasse para longe, ela o prendeu a um cardo com uma linha fina. A vaca logo notou o chapéu de folha de carvalho do Pequeno Polegar e, gostando da aparência, abocanhou de uma só vez o pobre menino e o cardo. Enquanto a vaca mastigava o cardo, o menino ficou com medo de seus grandes dentes, que ameaçavam triturá-lo em pedacinhos, e gritou o mais alto que conseguiu:

– Mãe, mãe!

– Onde está você, meu querido Pequeno Polegar? – perguntou a mãe.

– Aqui, mãe – ele respondeu –, na boca da vaca vermelha.

A mãe começou a chorar e torcer as mãos, e a vaca, surpresa com o barulho estranho na sua garganta, abriu a boca e deixou o Pequeno Polegar sair. Por sorte a mãe o aparou no avental antes de ele cair no chão, senão o menino ficaria seriamente ferido; depois o agasalhou contra o peito e correu para casa com ele.

O pai do Pequeno Polegar fez para ele um chicote de palha de cevada para que guiasse o gado, e certo dia, indo para os campos, o menino escorregou e deslizou para o rego. Um corvo que passava por ali o pegou no bico e voou com ele sobre o mar, deixando-o cair ali.

Assim que ele caiu no mar, um peixe grande o engoliu um pouco antes de ser pescado e servido na mesa do rei Artur. Quando abriram o peixe para cozinhá-lo, todos ficaram surpresos ao encontrar um menino tão pequeno, e o Pequeno Polegar ficou muito feliz por ter sido libertado de novo. Levaram-no até o rei, que o tornou seu anão de estimação, e em pouco tempo ele era o grande favorito na corte. Por causa de seus truques e cabriolas, não apenas divertia o rei e a rainha, mas também os Cavaleiros da Távola Redonda.

Dizem que, quando o rei andava a cavalo, com frequência tinha a companhia do Pequeno Polegar, e, se começasse a chover, o menino costumava esgueirar-se para dentro do bolso do colete do rei, onde dormia até a chuva passar.

Certo dia, o rei Artur perguntou ao Pequeno Polegar sobre seus pais, querendo saber se eram pequenos como ele e se estavam bem de vida.

Ele respondeu que seu pai e sua mãe tinham a altura de qualquer um na corte, mas que eram pobres. Ouvindo isso, o rei levou o menino até seu tesouro, o lugar onde guardava todo o seu dinheiro, e disse que pegasse quantas moedas conseguisse levar para seus pais em casa, o que fez o pequenino dar cambalhotas de alegria. Ele foi logo procurar uma bolsa que era feita de uma bolha de água e depois voltou para a sala do tesouro, onde recebeu uma moeda de prata para guardar dentro dela.

Nosso pequeno herói teve certa dificuldade para erguer o peso até as costas, mas por fim conseguiu e começou sua jornada. Então, sem sofrer nenhum acidente, depois de descansar mais de cem vezes pelo caminho, chegou em segurança à casa de seus pais dois dias e duas noites mais tarde.

Ele viajara quarenta e oito horas com uma enorme moeda de prata nas costas, e estava quase morrendo de cansaço quando sua mãe saiu correndo da casa para encontrá-lo e carregá-lo para dentro. Mas o Pequeno Polegar logo voltou para a corte.

Como suas roupas tinham se estragado muito por causa das aventuras que havia enfrentado, o rei ordenou que lhe fizessem um novo traje e lhe dessem um camundongo para que o montasse como um cavaleiro.

> *De asas de borboleta foi feita sua camisa,*
> *As botas de pele de galinha;*
> *E uma hábil fada,*
> *Que entendia de alfaiataria,*
> *Confeccionou suas roupas.*
> *Trazia uma agulha pendurada na cintura;*
> *Montava um garboso camundongo;*
> *E assim se pavoneava com orgulho o Pequeno Polegar!*

Sem dúvida era muito divertido vê-lo com aqueles trajes e montado no camundongo, enquanto ia à caça com o rei e a nobreza, todos prontos a morrer de rir dele e de sua garbosa montaria.

O rei estava tão encantado com tudo isso que mandou fazer uma cadeirinha a fim de que o pequeno se sentasse em cima da mesa, e também um palácio de ouro da altura da palma da mão e com uma porta em cada muro para que o menino morasse ali. Também lhe deu uma carruagem conduzida por seis ratinhos.

A rainha ficou com tanto ciúme das honrarias conferidas a *sir* Pequeno Polegar que resolveu arruiná-lo, e disse ao rei que o pequeno cavaleiro fora atrevido com ela.

O rei logo mandou chamá-lo, mas, sabendo como era perigoso o ciúme real, o Pequeno Polegar entrou na concha vazia de um caracol e lá ficou por um longo tempo, até quase morrer de fome. Por fim se aventurou a dar uma olhada para fora e, vendo uma linda e enorme borboleta no chão, perto do seu esconderijo, aproximou-se dela, montou-a e foi carregado para o alto.

A borboleta viajou com ele de árvore em árvore e de campo em campo, e por fim retornou à corte, onde o rei e todos os nobres correram para aparar o menino, porém o pobrezinho acabou caindo da borboleta para dentro de um pote com água e quase se afogou.

Quando a rainha o viu, ficou furiosa e disse que ele deveria ser decapitado, por isso ele foi colocado dentro de uma ratoeira até chegar a hora da execução.

Então um gato, vendo algo vivo na ratoeira, mexeu ali com a pata até que os fios se quebraram, libertando-o.

O rei voltou a favorecer o Pequeno Polegar, que não viveu muito para aproveitar isso, porque uma enorme aranha certo dia o atacou, e, embora ele se defendesse com sua espada de agulha, o bafo venenoso da aranha por fim o matou.

Ele caiu morto no chão e ali ficou.
E a aranha sugou cada gota de seu sangue.

O rei Artur e toda a sua corte ficaram tão pesarosos com a perda do pequeno favorito que usaram luto por alguns dias e ergueram um lindo monumento de mármore branco sobre seu túmulo com o seguinte epitáfio:

Aqui jaz o Pequeno Polegar, cavaleiro do rei Artur,
Que morreu da picada de uma aranha cruel.
Era famoso na corte de Artur,
Onde havia muita diversão;
Participava de torneios
E ia à caça montado em um camundongo.
Quando vivo, encheu a corte de alegria;
Sua morte trouxe tristeza.
Enxuguem, enxuguem seus olhos, balancem a cabeça
E gritem: "Ai de nós! O Pequeno Polegar morreu!".

O sr. Fox

Lady Mary era jovem e bonita. Ela tinha dois irmãos e mais pretendentes do que podia contar, mas, entre todos, o mais corajoso e galante era o sr. Fox, que ela conhecera na casa de campo de seu pai. Ninguém sabia quem era o sr. Fox, mas sem dúvida ele era valente e, claro, rico. E, apesar de todos os pretendentes, Lady Mary só se importava com ele. Por fim os dois combinaram de se casar. Lady Mary perguntou ao sr. Fox onde iriam morar, e ele descreveu seu castelo e disse onde ficava; mas, estranhamente, não a convidou nem a seus irmãos para visitá-lo.

Então, certo dia, próximo da data do casamento, quando seus irmãos estavam fora e o sr. Fox se ausentara por um ou dois dias a negócios, Lady Mary partiu em direção ao castelo dele. E, após muita procura, chegou por fim. Era uma mansão fortificada com altos muros e um fosso profundo, e, quando Lady Mary chegou aos portões, viu ali escrito:

Seja ousado, seja ousado.

Quando os portões se abriram, ela entrou e não encontrou ninguém. Então encaminhou-se à porta de entrada e viu ali escrito no alto:

Seja ousado, seja ousado, mas não demais.

Mesmo assim, Lady Mary prosseguiu até chegar ao salão, subiu a escadaria larga e alcançou uma porta na galeria, sobre a qual estava escrito:

**Seja ousado, seja ousado, mas não demais,
Senão o sangue congelará em seu coração.**

Mas Lady Mary era uma moça corajosa de verdade. Ela abriu a porta, e o que acham que ela viu? Ora! Corpos e esqueletos de jovens e belas damas todos manchados de sangue. Então Lady Mary concluiu que era mais do que hora de sair daquele lugar horrível. Fechou a porta, passou pela galeria e estava descendo a escadaria para sair do salão, quando quem foi que viu pela janela? O sr. Fox arrastando uma linda e jovem dama dos portões para a porta.

Lady Mary se apressou em descer e se escondeu atrás de um barril, bem a tempo, enquanto o sr. Fox entrava com a pobre jovem dama, que parecia estar desmaiada.

Quando se aproximava do esconderijo de Lady Mary, o sr. Fox notou um anel de diamante brilhando no dedo da jovem dama que arrastava e tentou arrancá-lo, mas o anel estava apertado e não saía. Então ele proferiu palavrões e maldições, desembainhou a espada, ergueu-a e desfechou um golpe na mão da pobre moça. A espada decepou a mão, que rodopiou no ar e foi cair logo no colo de Lady Mary. O sr. Fox olhou em volta, mas não se lembrou de olhar atrás do barril, e por fim começou a arrastar a jovem escada acima para a Câmara Sangrenta.

Assim que o ouviu passar pela galeria, Lady Mary saiu de fininho pela porta, passou pelos portões e correu para casa o mais rápido que pôde.

Acontece que no dia seguinte o contrato matrimonial de Lady Mary e do sr. Fox deveria ser assinado, e antes da cerimônia haveria um esplêndido café da manhã para comemorar.

Sentado à mesa do lado oposto de Lady Mary, o sr. Fox a fitou.

– Como está pálida nesta manhã, minha querida!

– Sim – respondeu ela. – Dormi mal a noite passada. Tive sonhos terríveis.

– Sonhos querem dizer sempre o contrário do que mostram – disse o sr. Fox. – Conte-nos o pesadelo, e sua doce voz fará o tempo passar até chegar a hora da feliz cerimônia.

– Sonhei – disse Lady Mary – que fui ontem de manhã até seu castelo e o encontrei no meio dos bosques, com altos muros e um fosso profundo, e acima do portão estava escrito:

Seja ousado, seja ousado.

– Mas não é nada assim e nunca foi – disse o sr. Fox.

– E, quando cheguei à porta de entrada, estava escrito no alto:

Seja ousado, seja ousado, mas não demais.

– Não é nada assim e nunca foi – disse o sr. Fox.

– E, quando subi e cheguei a uma galeria, havia uma porta no final onde se lia:

Seja ousado, seja ousado, mas não demais, Senão o sangue congelará em seu coração.

– Não é e nunca foi assim – disse o sr. Fox.

– E então, quando abri a porta, o cômodo estava cheio de corpos e esqueletos de pobres mulheres, todos manchados com o sangue delas.

– Não é nem nunca foi assim. E que Deus nunca permita que seja – disse o sr. Fox.

– Então sonhei que corria galeria abaixo e, justamente quando estava descendo a escadaria, vi o senhor, sr. Fox, chegando à porta do salão, arrastando uma pobre e jovem dama, rica e bela.

– Não é nem nunca foi assim. E que Deus nunca permita que seja – repetiu o sr. Fox.

– Corri para baixo e mal tive tempo de me esconder atrás de um barril, quando o senhor, sr. Fox, entrou arrastando a linda dama pelo braço. E, assim que passou pelo meu esconderijo, pensei vê-lo tentar arrancar o anel de diamante da jovem, e, quando não conseguiu, sr. Fox, pareceu-me no sonho que desembainhava a espada e decepava a mão da pobre dama para pegar o anel.

– Não é nem nunca foi assim. E que Deus nunca permita que seja – disse o sr. Fox, e ia dizer mais alguma coisa, levantando-se da cadeira, quando Lady Mary gritou:

– Mas é assim, e assim foi. Aqui está o anel para provar – e pegou a mão que escondera no vestido, apontando-a para o sr. Fox.

Na mesma hora os irmãos e amigos de Lady Mary desembainharam as espadas e cortaram o sr. Fox em mil pedaços.

Jack Preguiçoso

Era uma vez um menino chamado Jack que vivia com a mãe. Eles eram muito pobres, e a velha senhora ganhava a vida tecendo, mas Jack era tão preguiçoso que nada fazia além de ficar deitado ao sol no verão e sentar no canto da lareira no inverno, então todos o chamavam de Jack Preguiçoso. Sua mãe não conseguia convencê-lo a fazer nada por ela, e por fim lhe disse, certa segunda-feira, que, se não começasse a trabalhar pela sua comida, ela o mandaria embora para ganhar a vida como pudesse.

Isso perturbou e provocou Jack, e no dia seguinte ele saiu e se apresentou para trabalhar para um fazendeiro vizinho, recebendo o pagamento de um *penny*; mas, quando voltava para casa, como nunca antes tivera dinheiro, ele se descuidou e o perdeu quando passava por um riacho.

– Garoto tolo – disse a mãe –, deveria ter guardado o dinheiro no bolso.

– Farei isso da próxima vez – respondeu Jack.

Na quarta-feira, Jack saiu de novo e se empregou com um guardador de vacas, que lhe deu um jarro com leite pelo dia de trabalho. Jack pegou o jarro e colocou no grande bolso do seu casaco, derramando todo o leite muito antes de chegar em casa.

– Pobre de mim! – exclamou a velha mãe. – Você deveria ter levado o jarro na cabeça.

– Farei isso da próxima vez – prometeu Jack.

Então, na quinta-feira, Jack voltou a se empregar com um fazendeiro que concordou em lhe dar um queijo cremoso pelos seus serviços. À noitinha Jack pegou o queijo e foi para casa com ele na cabeça. Quando chegou em casa, o queijo estava arruinado, parte se perdera no caminho e parte estava grudada nos seus cabelos.

– De novo outra perda?! – gritou a mãe. – Você deveria tê-lo carregado com muito cuidado nas mãos.

– Farei isso da próxima vez – disse Jack.

Na sexta-feira, Jack Preguiçoso saiu e se empregou com um padeiro, que nada daria pelo seu trabalho além de um grande gato macho. Jack pegou o gato e começou a carregá-lo com muito cuidado nas mãos, porém logo o bichano o arranhou tanto que Jack foi obrigado a soltá-lo. Quando chegou em casa, sua mãe disse:

– Você deveria ter amarrado o gato com uma corda para poder arrastá-lo.

– Farei isso da próxima vez – disse Jack.

Então, no sábado, Jack se empregou com um açougueiro, que o presenteou com uma maravilhosa paleta de carneiro. Jack pegou a paleta, amarrou-a com uma corda e a arrastou pela sujeira, e quando chegou em casa a carne estava totalmente arruinada. Dessa vez sua mãe perdeu mesmo a paciência com ele, pois o dia seguinte era domingo, e seria obrigada a cozinhar apenas repolho para o jantar.

– Seu cabeça de prego – disse ao filho –, deveria ter carregado a paleta nos ombros.

– Farei isso da próxima vez – ele retrucou.

Na segunda-feira seguinte, Jack Preguiçoso saiu de novo e foi se empregar com um guardador de gado, que lhe deu um asno pelo trabalho. Jack achou difícil colocar o asno nos ombros, mas por fim conseguiu e começou a andar devagar para casa com seu pagamento.

Joseph Jacobs

Acontece que no percurso que fazia morava um homem rico com sua única filha, uma linda moça surda e muda. Ela jamais rira na vida, e os médicos diziam que nunca falaria até que alguém a fizesse rir.

E essa linda moça estava olhando pela janela quando Jack passava com o asno nos ombros, com as pernas do animal apontadas para o alto, e a visão foi tão cômica e estranha que ela desatou a rir e imediatamente recuperou a fala e a audição. Seu pai ficou muito feliz e cumpriu a promessa que fizera se a filha fosse curada, dando-a em casamento a Jack Preguiçoso, que assim se tornou um rico cavalheiro.

Foram morar em uma mansão, e a mãe de Jack foi morar com eles com grande felicidade até morrer.

Johnnycake

Era uma vez um velho, uma velha e um garotinho. Certa manhã a velha preparou um bolo com farinha de milho, conhecido como Johnnycake, e o colocou no forno para assar.

– Tome conta do Johnnycake enquanto seu pai e eu vamos trabalhar no jardim.

Então o velho e a velha saíram e começaram a capinar no canteiro de batatas, deixando o garotinho tomar conta do forno. Mas ele não ficou olhando o tempo todo, e de repente ouviu um barulho. Ergueu os olhos e viu a portinhola do forno abrir, e para fora pulou o Johnnycake, que saiu rolando e dando cambalhotas até a porta aberta da casa. O garotinho correu para fechar a porta, mas o bolo era rápido demais e rolou porta afora, descendo os degraus e indo parar na estrada antes que o menino pudesse pegá-lo.

O garotinho correu atrás dele o mais depressa que podia, gritando pelo pai e pela mãe, que ouviram a algazarra, largaram as enxadas e foram perseguir o bolo também. Mas Johnnycake superou os três por larga vantagem, e em pouco tempo já não era possível vê-lo. Os três precisaram se sentar e descansar à beira da estrada para recuperar o fôlego.

Johnnycake continuou sua corrida e foi se aproximando de dois homens que cavavam um poço; eles ergueram os olhos do trabalho e chamaram:

– Aonde está indo, Johnnycake?

Ele respondeu:

– Superei um velho, uma velha e um garotinho e posso ultrapassar vocês també-é-ém!

– Pode mesmo? Vamos ver! – eles responderam.

Atiraram no chão suas picaretas e correram atrás dele, mas não conseguiram alcançá-lo e também precisaram sentar na beira da estrada para descansar.

Johnnycake continuou correndo e por fim chegou até dois homens que cavavam uma vala.

– Aonde está indo, Johnnycake? – perguntaram.

O bolo respondeu:

– Ultrapassei um velho, uma velha, um garotinho e dois homens cavando um poço e posso ultrapassar vocês també-é-ém!

– Pode mesmo? Vamos ver! – eles gritaram.

Atiraram no chão suas pás, correndo atrás dele também. Mas logo o bolo se adiantou muito, e, vendo que não poderiam alcançá-lo, os homens desistiram e sentaram para descansar.

Johnnycake seguiu e encontrou um urso, que lhe perguntou:

– Aonde está indo, Johnnycake?

Ele respondeu:

– Ultrapassei um velho, uma velha, um garotinho, dois homens cavando um poço, dois homens cavando uma vala e posso ultrapassar você també-é-ém!

– Acha que pode mesmo? Vamos ver! – rosnou o urso e correu o mais rápido que suas patas permitiam atrás do bolo, que não parou para olhar para trás.

Logo o urso estava tão distante dele que achou melhor desistir da caçada de uma vez por todas e se estirou à margem da estrada para descansar.

O bolo prosseguiu e por fim encontrou um lobo, que perguntou:

– Aonde vai, Johnnycake?

O bolo respondeu:

– Ultrapassei um velho, uma velha, um garotinho, dois homens cavando um poço, dois homens cavando uma vala, um urso e posso ultrapassar você també-é-ém!

– Acha mesmo que pode? – rosnou o lobo. – Vamos tirar a prova!

E começou a correr atrás de Johnnycake. O bolo corria tão depressa que o lobo desistiu de alcançá-lo, deitando-se também para descansar.

Johnnycake prosseguiu e por fim encontrou uma raposa, que estava deitada quietinha a um canto de uma cerca. A raposa o chamou com voz aguda, mas sem se levantar:

– Aonde vai, Johnnycake?

Ele respondeu:

– Ultrapassei um velho, uma velha, um garotinho, dois homens cavando um poço, dois homens cavando uma vala, um urso e um lobo e posso ultrapassar você també-é-ém!

– Não consigo ouvir você direito, Johnnycake; pode chegar um pouco mais perto? – perguntou a raposa, virando a cabeça ligeiramente para um lado.

Então, pela primeira vez, Johnnycake parou de correr e se aproximou um pouco, e disse em voz muito alta:

– *Ultrapassei um velho, uma velha, um garotinho, dois homens cavando um poço, dois homens cavando uma vala, um urso, um lobo e posso ultrapassar você també-é-ém!*

– Não consigo ouvi-lo muito bem. Será que pode chegar *um pouquinho mais perto?* – pediu a raposa com voz fraca, enquanto estendia o pescoço para Johnnycake e punha uma pata atrás da orelha.

O bolo se aproximou mais e, inclinando-se sobre a raposa, berrou:

– *Ultrapassei um velho, uma velha, um garotinho, dois homens cavando um poço, dois homens cavando uma vala, um urso e um lobo e posso ultrapassar você també-é-ém!*

– Pode, não é? – replicou a raposa, que em um piscar de olhos agarrou Johnnycake com seus dentes pontudos.

A filha do conde Mar

Em um belo dia de verão, a filha do conde Mar foi ao jardim do castelo e, feliz, dançava e saltitava. Enquanto brincava e se exercitava, de vez em quando parava para ouvir o canto dos pássaros. Depois de certo tempo, sentou-se à sombra de um grande carvalho cheio de folhas verdes, olhou para cima e viu uma pomba faceira pousada em um dos galhos mais altos da árvore. Fitando o pássaro, ela disse:

– Arrulhe, minha pomba, minha querida, desça até mim e lhe darei uma gaiola dourada. Vou levá-la para casa e será mais bem cuidada do que qualquer outro pássaro.

Mal dissera isso, a pomba voou para baixo do galho e pousou no ombro da moça, aconchegando-se ao seu pescoço branco enquanto alisava as penas. Então a moça a levou para casa e para seu próprio quarto.

O dia terminou e chegou a noite, e a filha do conde Mar estava pensando em ir dormir quando, voltando-se para a cama, encontrou ao seu lado um jovem e belo rapaz. Ela ficou espantada, pois a porta estava trancada havia horas. Mas era uma moça valente e perguntou:

– O que faz aqui, rapaz, assustando-me tanto? A porta está trancada há muito tempo. Como conseguiu entrar?

– Silêncio! Silêncio! – sussurrou o rapaz. – Eu era a pomba que arrulhava e que você convenceu a deixar a árvore.

– Então, quem é você? – ela perguntou em voz baixa também. – E como foi transformado naquele lindo passarinho?

– Meu nome é Florentine. Minha mãe é uma rainha, e mais até do que uma rainha, pois conhece magias e encantamentos. Como me recusei a fazer o que ela queria, transformou-me em uma pomba durante o dia, porém à noite seu feitiço perde o poder e me torno um homem de novo. Hoje cruzei o mar e a vi pela primeira vez; fiquei feliz por ser um pássaro e poder me aproximar de você, e, se não me amar, nunca mais serei feliz.

– Mas, se eu o amar – perguntou ela –, será que não irá voar para longe e me deixar um belo dia?

– Nunca, nunca – disse o príncipe. – Seja minha esposa, e serei seu para sempre. De dia um pássaro, à noite um príncipe. Sempre estarei ao seu lado como marido, querida.

Então eles se casaram em segredo e viviam felizes no castelo, sem que ninguém desconfiasse de que todas as noites a pomba se transformava no príncipe Florentine. E a cada ano, em segredo, um novo filho chegava para eles, cada qual mais lindo que o outro. Mas, assim que um filho nascia, o príncipe Florentine levava o bebezinho nas costas, voando por sobre o mar, até onde sua mãe, a rainha, vivia, e o deixava com ela.

Sete anos se passaram assim, e então tiveram um grande problema, porque o conde Mar queria casar a filha com um nobre de alta estirpe que viera cortejá-la. O pai a pressionou, mas ela disse:

– Querido pai, não desejo me casar; sou completamente feliz com minha pombinha aqui.

Então seu pai ficou furioso e fez uma promessa, dizendo:

– Amanhã, tão certo quanto estou vivo e comendo, torcerei o pescoço daquele passarinho.

E saiu do quarto da filha, batendo a porta em descontentamento.

– Oh, oh – lamentou a pomba –, é hora de ir embora.

E, assim, saltou sobre o parapeito da janela e, em um segundo, voou para longe. Voou sem parar até cruzar o mar profundo, e mesmo muito cansada prosseguiu até chegar ao castelo de sua mãe. A rainha estava fazendo seu passeio diário quando viu a linda pomba voando acima de sua cabeça e descendo nos muros do castelo.

– Venham, bailarinas, venham executar sua dança popular – ela chamou. – Gaiteiros, toquem bem, pois aqui está meu filho Florentine, que voltou para ficar comigo, porque desta vez não veio trazer um lindo bebê.

– Não, mãe – pediu Florentine –, nada de bailarinas nem menestréis, porque minha amada esposa, a mãe de meus sete filhos, deverá casar amanhã, e é um dia triste.

– O que posso fazer, meu filho? – perguntou a rainha. – Diga-me, e seu desejo se cumprirá, se minha mágica tiver esse poder.

– Então, mãe querida, transforme as vinte e quatro bailarinas e gaiteiros em vinte e quatro garças cinzentas, e que meus sete filhos se transformem em sete cisnes brancos, e dê-me a força e a resistência de um açor para liderá-los.

– Ai de mim! Ai de mim! Meu filho – disse a rainha –, não será possível; minha mágica não tem tanto poder. Mas quem sabe minha mestra, a vidente de Ostree, consiga fazê-lo.

Ela partiu às pressas para a caverna de Ostree e depois de pouco tempo saiu dali branca como uma folha de papel, resmungando a respeito de algumas ervas queimadas que trouxera da caverna. De súbito a nossa pomba se transformou em um açor; à sua volta voavam vinte e quatro garças cinzentas, e acima delas voavam sete jovens cisnes.

Sem nem uma palavra sequer de despedida, voaram sobre o profundo mar azul, que estava agitado e rumoroso. Voaram sem parar e desceram no castelo do conde Mar na hora em que o cortejo matrimonial seguia para a igreja.

Primeiro vinham os soldados, a seguir os amigos do noivo, e depois os homens do conde Mar, seguidos pelo próprio noivo e, por fim, pálida e bela, a filha do conde.

O cortejo caminhou lentamente ao som de uma música majestosa até se aproximar das árvores nas quais os pássaros cantavam.

A uma palavra do príncipe Florentine, todos os pássaros voaram, as garças abaixo, os cisnes acima, enquanto o açor circulava sobre todos.

Os membros da comitiva matrimonial ficaram admirados diante daquela visão, quando – *zum!* – as garças voaram até eles e desbarataram os soldados. Os cisnezinhos se encarregaram da noiva, enquanto o açor se arremessava sobre o noivo e o bicava, até deixá-lo caído perto de uma árvore.

Então as garças se reuniram entre si e formaram uma cama de penas, e os cisnezinhos colocaram sua mãe sobre ela, e de súbito todos se ergueram nos ares, levando a noiva consigo em segurança para o lar do príncipe Florentine.

Sem dúvida, jamais uma festa de casamento fora tão surpreendente quanto essa. O que poderiam fazer os convidados? Viram a linda noiva ser carregada para longe, cada vez mais longe, até que desapareceu com as garças, os cisnes e o açor. Naquele mesmo dia, o príncipe Florentine levou a filha do conde Mar para o castelo de sua mãe, a rainha, que retirou o feitiço dele, e todos viveram felizes para sempre.

O sr. Miacca

Às vezes Tommy Grimes era um bom menino, e às vezes era mau; e, quando era mau, era mau de verdade. Sua mãe costumava lhe dizer:

– Tommy, Tommy, seja um bom menino e não saia da frente de nossa casa, senão o sr. Miacca vai pegá-lo.

Mas, quando Tommy era mau, costumava desobedecer a sua mãe; e certo dia, como previsto, ele mal dera a volta na esquina quando o sr. Miacca o pegou, enfiou-o em um saco de cabeça para baixo e o levou para sua casa.

Quando o sr. Miacca entrou em casa com Tommy, puxou-o para fora do saco, colocou-o no chão e apalpou seus braços e pernas.

– Você é bem rijo – disse –, mas é tudo que tenho para o jantar; quando eu o cozinhar, não terá um gosto tão ruim e ficará macio. Mas, ai de mim, esqueci os temperos, e você ficará amargo sem tempero. Sally! Ei! Sally! – gritou ele, chamando a sra. Miacca.

Então a sra. Miacca surgiu de outro cômodo e perguntou:

– O que deseja, meu querido?

– Oh, tenho aqui um garotinho para o jantar – respondeu o senhor Miacca –, mas esqueci as ervas para temperar. Tome conta dele, por favor, enquanto vou buscá-las.

– Está bem, meu amor – disse a sra. Miacca, e lá foi o marido até a horta da casa.

Então Tommy Grimes perguntou para a sra. Miacca:

– O sr. Miacca sempre come garotinhos no jantar?

– Quase sempre, meu caro – respondeu a sra. Miacca –, quando são garotinhos bem maus que se metem no caminho dele.

– E a senhora não tem outra coisa além de carne de menino? Nenhum pudim? – perguntou Tommy.

– Ah, adoro pudim – exclamou a sra. Miacca –, mas nem sempre como o que me agrada.

– Ora, justamente hoje minha mãe está preparando um pudim – disse Tommy Grimes –, e tenho certeza de que lhe dará um pedaço se eu pedir. Posso ir correndo pegar?

– Nossa, que menino gentil! – disse a sra. Miacca. – Mas não se demore e trate de voltar para o jantar.

Então lá foi Tommy correndo, muito contente por ter se livrado com tanta facilidade; por muitos dias ele foi o melhor menino do mundo, e nunca se afastava de casa. Mas não conseguia ser eternamente bom; certo dia virou a esquina e, para seu azar, mal deu a volta quando o sr. Miacca o agarrou, enfiou-o no saco e o levou para sua casa.

Quando chegou lá, o sr. Miacca o tirou do saco; quando viu Tommy, disse:

– Ah, você é o pirralho que pregou aquela peça de mau gosto em mim e em minha esposa, deixando-nos sem jantar. Escute bem, não fará isso de novo. Eu mesmo vou vigiá-lo. Entre aqui debaixo do sofá; vou me sentar nele e vigiá-lo até a água ferver.

Então o pobre Tommy Grimes precisou se arrastar para baixo do sofá, e o sr. Miacca se sentou ali, esperando que a água fervesse. E esperaram,

esperaram, mas a água da panela não fervia, até que por fim o sr. Miacca se cansou de esperar e disse:

– Ei, você, debaixo do sofá, não vou esperar mais; ponha uma perna para fora e o impedirei de aprontar algum truque conosco.

Então Tommy esticou uma perna para fora, e o sr. Miacca pegou um cutelo e a cortou, colocando-a na panela.

De repente chamou:

– Sally, minha querida Sally!

E ninguém respondeu. Então o sr. Miacca foi até o cômodo ao lado para procurar a sra. Miacca, e, enquanto estava lá, Tommy se esgueirou do sofá e correu para fora da casa. Porque fora uma perna do sofá que ele mostrara para o sr. Miacca.

Tommy Grimes correu para sua casa e nunca mais deu a volta na esquina até ter idade suficiente para se cuidar e andar sozinho.

Whittington e sua gata

No reino do famoso rei Eduardo III havia um garotinho chamado Dick Whittington, que perdera pai e mãe quando era muito pequeno. Como o pobre Dick não tinha ainda idade para trabalhar, ficou em péssima situação; mal tinha para comer no jantar, e às vezes nada para o café da manhã, pois os moradores do vilarejo eram muito pobres e não podiam lhe dar muita coisa além de cascas de batatas, e de vez em quando uma crosta de pão duro.

Acontece que Dick ouvira muitas coisas estranhas sobre a grande cidade chamada Londres, pois naquele tempo as pessoas do campo pensavam que o povo londrino era apenas composto de damas e cavalheiros, que havia música e cantoria ali o dia inteiro e que as ruas eram todas pavimentadas com ouro.

Certo dia, uma grande carruagem puxada por oito cavalos, todos com guizos na cabeça, cruzou o vilarejo enquanto Dick estava próximo da estrada. Ele pensou que aquela carruagem por certo se dirigia para a bela cidade de Londres, então se encheu de coragem e pediu ao cocheiro que o deixasse caminhar ao lado dela. Assim que o cocheiro soube que o pobre Dick não tinha pai nem mãe e percebeu pelas suas roupas rasgadas que não poderia estar em pior situação, disse que ele podia subir, e então partiram juntos.

Dick chegou são e salvo a Londres e estava tão ansioso para ver a linda cidade que mal parou para agradecer ao bondoso cocheiro e correu o mais depressa que suas pernas permitiam por muitas ruas, pensando a cada momento que chegaria àquelas pavimentadas de ouro. Dick vira um guinéu apenas três vezes no seu pequeno vilarejo e lembrou-se da grande quantidade de troco; então pensou que não tinha nada a fazer além de pegar alguns pedacinhos do pavimento das ruas e teria muito dinheiro.

O pobre Dick correu até ficar cansado e quase se esquecera do amigo cocheiro, mas, por fim, vendo que escurecia e para onde se virasse só via sujeira em vez de ouro, sentou-se em um canto escuro e chorou até adormecer.

O pequeno Dick passou a noite toda na rua e na manhã seguinte, faminto, levantou-se e perambulou, pedindo a todos que encontrava que lhe dessem uma moedinha para que não morresse de fome; mas ninguém lhe dava atenção nem parava para responder, e só duas ou três pessoas lhe deram uma moedinha, de modo que o infeliz menino ficou muito fraco e desmaiou de fome.

Em meio ao seu infortúnio, pediu a caridade de muita gente, e uma pessoa lhe disse de mau humor:

– Vá trabalhar, seu vagabundo.

– Irei – disse Dick –, trabalharei para o senhor, se quiser.

Mas o homem soltou uma praga e continuou seu caminho.

Por fim um senhor de ar bondoso percebeu como Dick estava faminto.

– Por que não vai trabalhar, meu garoto? – perguntou para Dick.

– Iria, mas não sei onde encontrar trabalho – respondeu Dick.

– Se quer mesmo trabalhar, venha comigo – disse o cavalheiro, e o levou a um campo de feno onde Dick trabalhou muito e viveu feliz, até que a colheita do feno acabou.

Depois disso ele se viu em péssima situação de novo e, quase morto de fome outra vez, deitou-se à porta do sr. Fitzwarren, um rico mercador.

Logo foi encontrado pela cozinheira da casa, que era uma pessoa mal-humorada e que no momento preparava o jantar de seus amos. Ela perguntou para o pobre Dick:

– O que está fazendo aí, seu moleque preguiçoso? Só existem mendigos por aqui; se não for embora agora, vamos ver se vai gostar de levar um banho de água da tigela. Está tão quente que o fará dar pulos.

Bem nessa hora o sr. Fitzwarren voltava para jantar em casa e, quando viu o menino sujo e esfarrapado deitado na soleira da porta, perguntou a ele:

– Por que está deitado aí, meu garoto? Parece ter idade para trabalhar. Creio que tem tendência para ser preguiçoso.

– De jeito nenhum, senhor – respondeu Dick –, não é esse o caso, porque trabalharia muito, mas não conheço ninguém que possa me dar trabalho e acho que estou doente de fome.

– Pobre garoto, levante-se; deixe-me ver o que o aflige.

Dick tentou se levantar, mas precisou se deitar de novo, fraco demais que estava, pois não comia havia três dias e já não conseguia correr pelas ruas pedindo uma moedinha para os transeuntes. Então o bondoso mercador ordenou que o levassem para dentro da casa e lhe dessem um bom jantar e que o mantivessem ali para ajudar a cozinheira no que fosse preciso.

O pequeno Dick teria sido muito feliz com essa boa família, não fosse pela cozinheira ranzinza, que costumava dizer:

– Mando em você, portanto tome cuidado; lave o espeto e a panela, que estão sujos, acenda as lareiras, dê corda no relógio e limpe toda a sala de jantar depressa ou... – e ela sacudia para ele a concha da sopa de modo ameaçador.

Além disso, ela gostava tanto de amaciar a carne que, quando não tinha carne para amaciar, batia na cabeça e nos ombros do pobre Dick com uma vassoura ou com qualquer coisa que tivesse nas mãos. Por fim, os maus-tratos que ela infligia a Dick foram parar nos ouvidos de Alice, a filha do sr. Fitzwarren, que disse à cozinheira que iria mandá-la embora dali se não tratasse bem o menino.

O comportamento da cozinheira melhorou um pouco, mas, além disso, Dick tinha outro problema para resolver. Sua cama ficava no sótão, e havia tantos buracos no chão e nas paredes que todas as noites era atormentado por ratos e camundongos. Um cavalheiro dera um centavo a Dick por lustrar seus sapatos, e Dick pensou em comprar um gato. No dia seguinte viu uma menina com uma gata e perguntou para ela:

– Pode me vender essa gata por um centavo?

A menina respondeu:

– Sim, vendo, senhor, embora ela seja uma excelente caçadora de camundongos.

Dick escondeu sua gata no sótão e sempre se lembrava de levar parte de seu jantar para ela; e logo não teve mais problemas com os ratos e os camundongos, e dormia muito bem todas as noites.

Logo depois disso, um navio de seu amo estava para zarpar, e era costume que todos os empregados tivessem a oportunidade de lucrar também como o amo, então o sr. Fitzwarren chamou todos ao salão e lhes perguntou o que tinham para enviar pelo navio para ser vendido.

Todos tinham alguma coisa, exceto Dick, que não tinha nem dinheiro nem bens, portanto não poderia enviar nada. Por isso ele não compareceu ao salão com o restante da criadagem; mas a srta. Alice adivinhou o motivo e ordenou que o chamassem, e então ofereceu:

– Darei algum dinheiro para ele do meu próprio bolso.

Mas seu pai lhe disse:

– Não adianta, porque deve ser algo dele.

Quando o pobre Dick ouviu isso, replicou:

– Só tenho uma gata que comprei por um centavo há algum tempo de uma garotinha.

– Então vá buscar sua gata – mandou o senhor Fitzwarren – e deixe que ela embarque.

Dick subiu, trouxe a pobre gatinha com lágrimas nos olhos e a deu para o capitão.

– Estou chorando – disse – porque agora serei sempre acordado pelos ratos e camundongos, todas as noites.

Todos riram da estranha mercadoria de Dick, e a srta. Alice, que tinha pena dele, deu-lhe dinheiro para comprar outro gato.

Esse e muitos outros gestos de bondade da srta. Alice em relação ao rapazinho deixaram a cozinheira mal-humorada, com ciúme do pobre Dick, e ela começou a maltratá-lo com mais crueldade ainda e sempre ria dele por ter enviado sua gata para o mar.

Perguntava a Dick:

– Acha que sua gata custará mais caro que uma vara para bater em você?

Por fim o pobre Dick não aguentou mais esses maus-tratos e pensou em fugir de casa. Arrumou seus poucos pertences e saiu bem cedo de manhã, no primeiro dia de novembro, Dia de Todos os Santos. Dick caminhou até Holloway e ali se sentou sobre uma pedra que até hoje se chama Pedra de Whittington, refletindo sobre que estrada deveria seguir.

Enquanto pensava no que fazer, os sinos da Igreja de Bow, que na época eram apenas seis, começaram a repicar, e o som parecia dizer a Dick:

– Volte, Whittington, três vezes prefeito de Londres.

"Prefeito de Londres!", ele pensou consigo mesmo. "Ora, faria qualquer coisa para ser prefeito de Londres e andar em uma linda carruagem quando for adulto! Então, vou voltar e não vou me importar com as palmadas e broncas da velha cozinheira, já que afinal serei prefeito de Londres."

Dick voltou e por sorte conseguiu entrar na casa e começar a trabalhar antes que a velha cozinheira descesse e percebesse sua ausência.

Agora precisamos acompanhar a srta. Puss, a gata, até a costa da África. O navio com a gata a bordo ficou um longo tempo no mar e por fim foi levado pelos ventos à costa da Barbária, cujos únicos habitantes eram os mouros, estranhos para os ingleses. As pessoas vieram em grande número ver os marinheiros, porque sua pele era de outra cor, e os trataram com civilidade; e, quando se conheceram melhor, ficaram ansiosos para comprar as coisas boas que havia no navio.

Quando o capitão viu isso, enviou amostras das melhores coisas que tinha para o rei do país, que ficou muito contente e o convidou para ir ao palácio. Ali os objetos foram colocados como era costume no país, sobre lindos tapetes com flores bordadas a ouro e prata. O rei e a rainha se sentavam na parte mais elevada, no fim do salão, e muitos pratos foram servidos no jantar. Não estavam sentados havia muito tempo, quando um grande número de ratos e camundongos apareceu e devorou toda a carne em instantes. O capitão ficou atônito e perguntou se não era desagradável conviver com esses roedores.

– Oh, sim – disseram todos –, é terrível, e o rei daria metade de seu tesouro para se livrar deles, pois não apenas destroem seu jantar, como pode ver, mas o perturbam em seus aposentos e até na cama; portanto, é preciso que vigiem o rei enquanto dorme por medo do ataque.

O capitão deu pulos de alegria, lembrando-se do pobre Whittington e de sua gata, e disse ao rei que havia uma criatura a bordo que daria um fim imediato a todos os roedores dali. O rei pulou tanto de alegria com a novidade que seu turbante caiu da cabeça.

– Traga essa criatura para mim – disse. – Os roedores são uma praga na corte, e, se ela fizer o que você diz, encherei seu navio de ouro e joias em troca dela.

O capitão, que sabia negociar, aproveitou a oportunidade para enfatizar os méritos da srta. Puss e disse a Sua Majestade:

– Não é muito conveniente que me separe dela, já que, quando não a tiver mais, os ratos e os camundongos poderão destruir os produtos no navio, mas, para agradar a Vossa Majestade, vou buscá-la.

– Corra! Corra! – pediu a rainha. – Estou impaciente para conhecer a querida criatura.

Lá foi o capitão até o navio, enquanto outro jantar era preparado. Colocou Puss debaixo do braço e chegou ao palácio bem na hora de ver a mesa de novo infestada de ratos. Quando a gata os viu, não se fez de rogada, escapou dos braços do capitão e em poucos minutos quase todos os ratos e camundongos jaziam mortos aos seus pés. Os outros fugiram em debandada para seus buracos.

O rei ficou encantado por se ver livre das pragas com tanta facilidade, e a rainha desejou que a criatura que lhe proporcionara esse grande favor fosse trazida até ela para examiná-la bem. Então o capitão chamou:

– Bichana, bichana, bichana! – e a gatinha foi até ele.

Então ele a apresentou à rainha, que recuou, com medo de tocar na criatura que causara tal rebuliço entre os roedores. Entretanto, quando o capitão afagou a gata e disse "Bichana, bichana", a rainha também a tocou, exclamando:

– Bichona, bichona! – porque não sabia falar o idioma do capitão.

Então o capitão colocou Puss no colo da rainha, e a gata brincou com a mão dela e depois adormeceu ronronando.

O rei, tendo presenciado a façanha da srta. Puss e sendo informado que ela teria gatinhos que povoariam o país, livrando-o dos ratos, negociou o animalzinho com o capitão e ficou com toda a mercadoria do navio, e também lhe pagou dez vezes mais pela gata do que por todo o resto.

O capitão deixou a festa real e encetou viagem de volta à Inglaterra sob bons ventos, e após uma feliz viagem, chegou são e salvo a Londres.

Certa manhã bem cedo, o sr. Fitzwarren acabara de entrar em seu escritório e sentara à escrivaninha para contar seu dinheiro e arrumar os negócios para o dia, quando alguém bateu à porta.

– Quem é? – perguntou o sr. Fitzwarren.

– Um amigo – respondeu a pessoa. – Venho lhe trazer boas novas sobre seu navio *Unicórnio*.

O mercador se levantou com tanta pressa que até se esqueceu de que tinha gota, abriu a porta e viu ali ninguém menos que o capitão em carne e osso, com uma caixa de joias e um relatório de vendas de cargas; quando o mercador viu isso, ergueu os olhos e agradeceu aos céus pela viagem tão próspera de seu navio.

Então o capitão lhe contou a história da gata e também lhe mostrou o rico presente que o rei e a rainha haviam enviado para o pobre Dick. Assim que o mercador ouviu isso, mandou chamar os criados:

Façam-no vir aqui para saber de sua fama;
Por favor, chamem o sr. Whittington.

E então o sr. Fitzwarren provou ser um bom homem, porque, quando alguns de seus empregados disseram que era um tesouro grande demais para Dick, ele respondeu:

– Que Deus me livre de privá-lo de um só centavo. Isso lhe pertence até o último tostão.

E então mandou chamar por Dick, que naquele momento lavava panelas para a cozinheira e estava muito desalinhado.

Ele se desculpou por não comparecer de imediato ao escritório e explicou:

– O cômodo já foi varrido, e meus sapatos estão sujos e cheios de fuligem.

Porém o mercador ordenou que entrasse.

O sr. Fitzwarren pediu uma cadeira para Dick. Imaginando que estavam zombando dele, o menino disse a todos os presentes:

– Não zombem de um pobre e humilde rapaz como eu e me deixem voltar para o meu trabalho, por favor.

– Na verdade, sr. Whittington – disse o mercador –, estamos sendo muito sinceros, e estou extremamente feliz com as notícias que esses senhores me trouxeram, porque o capitão vendeu sua gata para o rei da Barbária, e em troca da bichana trouxe para você mais riquezas do que possuo em todo o mundo; espero que você as desfrute por muitos anos!

Então o sr. Fitzwarren pediu que os homens abrissem a caixa do grande tesouro que haviam trazido e disse:

– Sr. Whittington, só precisa guardar tudo isso em um lugar seguro.

O pobre Dick nem sabia como se comportar, tamanha era a sua alegria. Implorou para que seu amo pegasse o que quisesse do tesouro, pois devia tudo à sua bondade.

– Não, não – respondeu o sr. Fitzwarren –, é tudo seu, e tenho certeza de que usará essa fortuna com sabedoria.

Depois Dick pediu que sua ama e a srta. Alice aceitassem uma parte de sua fortuna, mas elas não quiseram e disseram que estavam muito felizes por ele. Entretanto, nosso pobre amigo tinha um coração bondoso demais para guardar toda a fortuna para si; então deu presentes para o capitão, para o imediato e para todos os criados do sr. Fitzwarren – até mesmo para a velha cozinheira ranzinza.

Depois disso, o sr. Fitzwarren o aconselhou a ir a um alfaiate para se vestir como um cavalheiro e disse que Dick poderia morar na sua casa até conseguir uma melhor.

Quando Whittington se lavou, penteou os cabelos, colocou o chapéu de banda e se vestiu com boas roupas, ficou tão bonito e distinto como qualquer um dos rapazes que visitavam a casa do sr. Fitzwarren. Então a srta. Alice, que no passado fora tão bondosa com Dick e tinha pena dele, passou a vê-lo como um possível pretendente, ainda mais que agora Whittington fazia de tudo para lhe agradar, dando-lhe os presentes mais bonitos que podia.

Em pouco tempo o sr. Fitzwarren percebeu que os dois se amavam e propôs que se casassem; eles logo concordaram. A data do casamento não tardou a ser marcada, e foram convidados para a igreja o prefeito, os vereadores, os xerifes e um grande número dos mais ricos mercadores de Londres, que depois foram recebidos em um rico banquete.

Diz a história que o sr. Whittington e sua esposa viveram em meio a grande esplendor e foram muito felizes. Tiveram vários filhos. Dick foi xerife de Londres, foi eleito prefeito três vezes e recebeu o título de cavaleiro do rei Henrique V.

Anos depois, Dick divertiu tanto esse rei e sua rainha ao jantar, depois da conquista da França, que o monarca disse:

– Nunca um príncipe teve tal súdito.

Quando Dick, que agora era *sir* Richard, ouviu isso, disse:

– Nunca um súdito teve tal príncipe.

A estátua de *sir* Richard Whittington com sua gata esculpida em pedra pôde ser admirada até o ano de 1780 sobre a arcada da velha prisão de Newgate, que ele mandou construir para os criminosos.

O estranho visitante

Certa noite, uma mulher estava sentada, enrolando linha. E ali estava quieta, e enrolava, desejando ter companhia.

Entraram dois pés muito grandes, que se postaram junto à lareira.

E a mulher continuou sentada, enrolando a linha, ainda desejando ter companhia.

Então entraram duas pernas muito, muito pequenas, que se postaram sobre os grandes pés.

E a mulher continuou sentada, enrolando a linha, ainda desejando ter companhia.

Entraram dois joelhos muito, muito grossos, que se postaram sobre as pernas muito, muito pequenas.

E a mulher continuou sentada, enrolando a linha, ainda desejando ter companhia.

Daí entraram duas coxas muito, muito finas, que se postaram sobre os joelhos muito, muito grossos.

E a mulher continuou sentada, enrolando a linha, ainda desejando ter companhia.

Entrou um par de quadris muito, muito largos, que se postaram sobre as coxas muito, muito finas.

E a mulher continuou sentada, enrolando a linha, ainda desejando ter companhia.

E entrou uma cintura muito, muito fina, que se acomodou sobre os largos quadris.

E a mulher continuou sentada, enrolando a linha, ainda desejando ter companhia.

E entrou um par de ombros muito, muito largos, sobre um toráx muito, muito forte, que se postaram sobre a cintura muito, muito fina.

E a mulher continuou sentada, enrolando a linha, ainda desejando ter companhia.

E entraram dois braços muito, muito pequenos, que se ajustaram aos ombros muito, muito largos.

E a mulher continuou sentada, enrolando a linha, ainda desejando ter companhia.

E entraram duas mãos muito, muito grandes, que se ajustaram aos braços muito, muito pequenos.

E a mulher continuou sentada, enrolando a linha, ainda desejando ter companhia.

E entrou um pescoço muito, muito pequeno, que se postou sobre os ombros muito, muito largos.

E a mulher continuou sentada, enrolando a linha, ainda desejando ter companhia.

E entrou uma cabeça muito, muito grande, que se postou sobre o pescoço muito, muito pequeno.

– Como conseguiu pés tão grandes? – perguntou a mulher.

– Andando muito, andando muito – respondeu o visitante, de mau humor.

– Como conseguiu pernas tão pequenas?

– Ai! Muito depois dos pés e de um molde peque-e-e-e-no – explicou ele, choroso.

– Como conseguiu joelhos tão grossos?

– De tento rezar, de tanto rezar – disse ele, piedoso.

– Como conseguiu coxas tão finas?

– Ai! Muito depois e de um molde peque-e-e-e-no – reclamou ele, choroso.

– Como conseguiu quadris tão largos?

– De tanto sentar, de tanto sentar – respondeu ele, ainda de mau humor.

– Como conseguiu uma cintura tão, tão fina?

– Ai! Muito depois e de um molde peque-e-e-e-no – disse ele, choroso.

– Como conseguiu esses ombros tão, tão largos?

– Usando a vassoura, usando a vassoura – explicou ele, sem vontade de conversar.

– Como conseguiu braços tão, tão pequenos?

– Ai! Muito depois e de um molde peque-e-e-e-no – disse ele, contrariado.

– Como conseguiu mãos tão, tão grandes?

– Debulhando cereais com um mangual de ferro, debulhando cereais com um mangual de ferro – respondeu ele, de mau humor.

– Como conseguiu um pescoço tão, tão fino?

– Ai! Muito depois e de um molde peque-e-e-e-no – disse ele, ainda choroso.

– Como conseguiu uma cabeça tão, tão grande?

– Muitos conhecimentos, muitos conhecimentos – respondeu ele finalmente, com entusiasmo.

– Para que veio aqui?

– *Por você!* – exclamou em voz muito alta, agitando os braços e batendo com os grandes pés no chão.

A Lesma-Dama Gigante do penhasco de Spindleston

Vivia no Castelo de Bamborough um rei que tinha uma linda esposa e dois filhos, um menino chamado Wynd e uma menina chamada Margaret. O jovem Wynd saiu pelo mundo em busca de fortuna, e, logo que foi embora, a rainha, sua mãe, morreu. O rei a pranteou por muito tempo e com fidelidade, mas certo dia, enquanto caçava, encontrou uma dama de rara beleza e se apaixonou tanto que resolveu desposá-la. Então enviou mensagem para casa avisando que iria trazer uma nova rainha para o Castelo de Bamborough.

A princesa Margaret não ficou muito contente por ouvir que o lugar de sua mãe seria ocupado por outra, mas não se lamentou e acatou o desejo do pai. E no dia marcado ela caminhou até o portão do castelo com as chaves em mãos, pronta para entregá-las à madrasta. Não demorou muito tempo e o cortejo se aproximou, e a nova rainha foi ao encontro da princesa Margaret, que fez uma profunda reverência e lhe mostrou as chaves do castelo. Com as faces vermelhas e os olhos baixos, ela disse:

– Seja bem-vindo, querido pai, para seus salões e pavilhões, e bem-vinda, minha nova mãe, pois tudo aqui é seu.

E lhe ofereceu as chaves. Um dos cavaleiros que acompanhara a nova rainha exclamou com admiração:

– Sem dúvida essa princesa do norte é a mais linda de todas!

Diante dessas palavras, a rainha corou e disse em voz alta:

– Esse seu elogio deveria ter sido para mim. – E depois acrescentou em voz muito baixa: – Logo darei um fim à beleza da princesa.

Naquela mesma noite, a rainha, que era uma grande bruxa, esgueirou-se para um calabouço solitário e lá preparou sua mágica com feitiços três vezes mais fortes que os comuns; e, com passes nove vezes mais fortes, ela encantou a princesa. E este foi o feitiço:

> *Ordeno que você seja uma Lesma-Dama*
> *E desencantada nunca será.*
> *A não ser que o jovem Wynd, o filho do rei,*
> *Vá ao penhasco e a beije três vezes,*
> *Até que o mundo chegue ao fim,*
> *Você nunca será desencantada.*

Então lady Margaret foi dormir como uma linda donzela e acordou como a Lesma-Dama Gigante. E, quando suas camareiras entraram pela manhã para vesti-la, encontraram, enroscado na cama, aquele terrível bicho com cabeça de dragão, que se desenrolou e se aproximou delas, mas elas correram aos gritos. A Lesma-Dama rastejou, rastejou, rastejou, até que alcançou a pedra de Spindleston, enrolou-se ao seu redor e ali ficou, aquecendo-se ao sol com seu horrível focinho levantado.

Em pouco tempo, todos os vilarejos do país, com justa razão, tomaram conhecimento da Lesma-Dama do penhasco de Spindleston. Porque a fome obrigou o monstro a sair de sua caverna, e ele costumava devorar tudo que encontrasse pela frente. Então, por fim, os habitantes procuraram um feiticeiro e perguntaram o que deveriam fazer para acabar com o monstro. O feiticeiro consultou seus livros e o espírito que o acompanhava sempre, e lhes disse:

— A Lesma-Dama é na verdade a princesa Margaret, e é a fome que a faz cometer esses atos. Separem sete vacas para ela, e a cada dia, quando o sol se puser, levem cada gota do leite que tirarem das vacas até a pedra, deixem ao pé do penhasco, e a Lesma-Dama não mais incomodará ninguém no país. Mas, se querem que ela volte à sua forma natural e que aquela que a enfeitiçou seja justamente punida, mandem procurar seu irmão, o jovem Wynd, além dos mares.

Tudo foi feito como o feiticeiro aconselhou; a Lesma-Dama viveu do leite das sete vacas, e os povoados não tiveram mais problemas. Porém, quando o jovem Wynd ouviu as notícias, jurou solenemente resgatar sua irmã e vingá-la da cruel madrasta. E trinta e três de seus homens fizeram o juramento com ele. Então começaram a trabalhar e construíram um grande barco, com uma quilha feita da árvore sorveira-brava. Quando tudo ficou pronto, empunharam os remos e rumaram para o Castelo de Bamborough.

Entretanto, quando chegaram perto do castelo, a madrasta, com seus poderes mágicos, pressentiu que algo estava sendo tramado contra ela e convocou seus familiares, os demônios, dizendo:

— O jovem Wynd está vindo pelos mares; ele não deverá jamais desembarcar. Ergam tempestades ou furem o casco de seu navio, mas que ninguém chegue a terra firme.

Então os demônios foram ao encontro do barco do jovem Wynd, mas, quando se aproximaram dele, perceberam que não tinham poder sobre a embarcação, pois sua quilha fora feita com sorveira-brava. Assim, voltaram para o castelo. Sem saber o que fazer, a rainha ordenou que seus soldados resistissem ao jovem Wynd caso ele se aproximasse da costa, e por meio de seus feitiços fez com que a Lesma-Dama o esperasse na entrada do porto.

Quando o navio se aproximou, a Lesma se desenrolou e, mergulhando no mar, agarrou o navio do jovem Wynd e o arrastou para longe da costa.

Por três vezes o jovem Wynd incitou seus homens a remar bravamente e com força, mas a Lesma-Dama sempre mantinha a embarcação longe da costa. Então o jovem Wynd ordenou que o navio desse a volta, e a rainha bruxa pensou que ele desistira de vir para a terra. Mas, em vez disso, ele apenas circundou o ponto seguinte e desembarcou são e salvo na enseada de Budle. Então, com a espada desembainhada e o arco em riste, correu, seguido pelos seus homens, para lutar com a terrível Lesma-Dama que o impedira de desembarcar.

Mas, assim que o jovem Wynd pisou em terra, os poderes da rainha-bruxa sobre a Lesma-Dama desapareceram, e ela voltou para seu esconderijo, sozinha, sem um demônio ou um soldado para ajudá-la, pois sabia que sua hora chegara. Então, quando o jovem Wynd veio correndo ao encontro da Lesma-Dama, o monstro nada fez para detê-lo ou feri-lo, mas, no momento em que ele ia erguer a espada para matá-la, a voz de sua irmã Margaret soou das presas de sua boca, dizendo:

Oh, largue sua espada, baixe seu arco
E me dê três beijos;
Pois, mesmo sendo uma lesma peçonhenta,
Nenhum mal lhe farei.

O jovem Wynd deteve a mão e não desferiu o golpe, mas ficou indeciso, sem saber se não haveria algum feitiço envolvido. Então de novo falou a Lesma-Dama:

Oh, largue sua espada, baixe seu arco
E me dê três beijos;
Se eu não vencer aqui ao pôr do sol,
Vencedora jamais serei.

Então o jovem Wynd se aproximou da Lesma-Dama e a beijou uma vez; mas nenhuma mudança aconteceu. Aí ele a beijou mais uma vez;

mas ainda dessa vez não houve mudança alguma. Pela terceira vez ele beijou a criatura repelente, e, com um sibilo e um rugido, a Lesma- -Dama retrocedeu, e diante dos olhos do jovem Wynd surgiu sua irmã Margaret. Ele colocou seu manto em volta do corpo de Margaret e depois rumou para o castelo com ela. Quando alcançou a fortificação, dirigiu-se para o esconderijo da rainha-bruxa e, quando a viu, tocou-a com um galho de sorveira-brava. Assim que a tocou com aquele galho mítico, ela encolheu, encolheu, até se transformar em um enorme e feio sapo de olhos esbugalhados; então, com um chiado horrendo, fugiu do castelo, descendo os degraus aos pulos. O jovem Wynd assumiu o lugar do rei, seu pai, e todos viveram felizes depois disso.

Mas até hoje sapos nojentos são vistos de vez em quando assombrando os arredores do Castelo de Bamborough, e a rainha-bruxa se transformou numa Rã-Dama.

O gato e o rato

*O gato e o rato
Brincavam na destilaria.*

O gato arrancou o rabo do rato com uma mordida.
– Por favor, gatinho, devolva meu rabo.
– Não – disse o gato. – Não lhe darei seu rabo até que você vá à vaca e me traga um pouco de leite.

*Primeiro o rato saltou e depois correu,
Até chegar à vaca e assim dizer:*

– Por favor, vaca, dê-me leite para que eu possa dá-lo ao gato, para que o gato então devolva meu rabo.
– Não – disse a vaca –, não lhe darei leite algum até que vá ao fazendeiro e me traga um pouco de feno.

*Primeiro o rato saltou e depois correu,
Até chegar ao fazendeiro e assim dizer:*

— Por favor, fazendeiro, dê-me feno para que eu o dê à vaca, para a vaca me dar leite que eu possa dar ao gato, para que o gato devolva meu rabo.

— Não — disse o fazendeiro —, não lhe darei feno algum até que vá ao açougueiro e me traga um pouco de carne.

Primeiro o rato saltou e depois correu,
Até chegar ao açougueiro e assim dizer:

— Por favor, açougueiro, dê-me um pouco de carne para que eu a dê ao fazendeiro, para o fazendeiro me dar feno que eu possa levar para a vaca, para a vaca me dar leite que eu possa levar ao gato, para que o gato devolva meu rabo.

— Não — disse o açougueiro. — Não lhe darei a carne até você ir ao padeiro e me trazer pão.

Primeiro o rato saltou e depois correu,
Até chegar ao padeiro e assim dizer:

— Por favor, padeiro, dê-me pão para eu o levar ao açougueiro, para o açougueiro me dar carne para que eu possa levar ao fazendeiro, para o fazendeiro me dar feno para eu levar para a vaca, para ela me dar lcite para levar ao gato, para que o gato devolva meu rabo.

Sim, disse o padeiro, eu lhe darei pão,
Mas, se você comer minha refeição, corto sua cabeça.

Então o padeiro deu pão para o rato, e o rato deu o pão para o açougueiro, que deu carne para o rato, que deu ao fazendeiro, e o fazendeiro deu feno para o rato, que deu para a vaca, e a vaca lhe deu leite, e o rato deu para o gato, que devolveu seu rabo!

O peixe e o anel

Era uma vez um poderoso barão no País do Norte, um grande mago ciente de tudo que iria acontecer. Certo dia, quando seu filhinho tinha quatro anos, ele consultou o Livro do Destino para ver o seu futuro, e para sua tristeza descobriu que o filho iria se casar com uma reles criada que acabara de nascer em uma casa à sombra do Mosteiro de York. Então o barão passou pela casa do pai da menina e o viu sentado na soleira da porta, infeliz e melancólico. Desmontou do cavalo, aproximou-se do homem e perguntou:

– O que houve, meu bom homem?

E o homem respondeu:

– Milorde, o fato é que já tenho cinco filhos, e agora chegou a sexta, uma garotinha. Onde conseguirei pão para matar a fome de todos eles? Eu não sei o que fazer.

– Não desanime, meu amigo – disse o barão. – Se é esse o seu problema, posso ajudá-lo. Levarei a recém-nascida, e você não terá que se preocupar com ela.

– Muito obrigado, senhor – disse o homem, que logo entrou em casa, pegou a menina e a deu para o barão, que montou no seu cavalo e partiu com ela. Quando chegou à margem do rio Ouse, o barão atirou a pequenina nas águas e voltou a cavalo para o castelo.

Mas a garotinha não se afogou; suas roupas a fizeram boiar por um certo tempo, e ela flutuou, flutuou, até que foi lançada na margem, bem em frente à cabana de um pescador. Ali o pescador a encontrou e se condoeu da coitadinha, levando-a para sua casa. Nessa pequena casa ela viveu até os quinze anos de idade e se tornou uma linda moça.

Acontece que certo dia o barão saiu para caçar com alguns companheiros pelas margens do rio Ouse e parou na cabana do pescador, onde pediu para beber alguma coisa. A bela mocinha saiu para servi-los. Todos repararam na sua beleza, e um dos companheiros perguntou ao barão:

– Pode ler o destino, barão? Com quem acha que ela se casará?

– Oh! Isso é fácil de adivinhar – respondeu o barão. – Com algum caipira. Mas vou ler sua sorte. Venha cá, menina, e diga em que dia nasceu.

– Não sei, senhor – respondeu a menina. – Fui encontrada bem aqui depois que o rio me trouxe água abaixo, cerca de quinze anos atrás.

Então o barão percebeu quem ela era, e, quando a comitiva foi embora, ele voltou sozinho para a cabana do pescador e disse para a menina:

– Menina, vou torná-la rica. Leve esta carta para meu irmão em Scarborough e você ficará bem pelo resto da vida.

A menina pegou a carta e prometeu que a entregaria. O barão escrevera rapidamente na missiva:

"Caro irmão, pegue a portadora desta e a mate imediatamente. Afetuosamente,

Albert".

Então a menina partiu para Scarborough e pernoitou em uma pequena taverna. Naquela noite um bando de ladrões invadiu a taverna; revistaram a menina, que não tinha dinheiro algum consigo, e encontraram apenas a carta. Então abriram o envelope e a leram, e acharam aquilo vergonhoso. O chefe dos ladrões pegou pena e papel e escreveu a seguinte carta:

"*Caro irmão, pegue a portadora desta e case-a com meu filho imediatamente.*
Afetuosamente,

Albert".

Então entregou a carta para a menina, permitindo que ela seguisse seu caminho. E ela foi procurar em Scarborough o irmão do barão, um cavaleiro nobre com quem o filho do barão estava passando uma temporada. Quando a menina entregou a carta, o irmão do barão deu ordens para que o casamento fosse preparado, e naquele mesmo dia a menina e o filho do barão se casaram.

Logo depois, o próprio barão veio ao castelo do irmão, e qual não foi sua surpresa ao descobrir que seu plano dera errado. Porém, não desistiu; levou a jovem para um passeio perto dos penhascos e, quando se viu a sós com ela, pegou-a pelo braço e ia atirá-la ali de cima. Mas ela implorou pela sua vida.

– Nada fiz de mal nesta vida – disse. – Se me poupar, farei o que desejar. Nunca verei o senhor ou seu filho de novo, se for esse o seu desejo.

Então o barão tirou seu anel de ouro e o atirou no mar, dizendo:

– Nunca mais quero ver seu rosto até que possa me mostrar esse anel.

E a deixou ir.

A pobre jovem vagou, vagou, até que por fim chegou ao castelo de um grande nobre e pediu para trabalhar ali. Mandaram-na para a cozinha do castelo, pois estava acostumada com esse tipo de tarefa na casa do pescador.

Certo dia, no entanto, quem ela viu chegando ao castelo do nobre? Ninguém mais ninguém menos que o barão, seu irmão e seu filho, que era o marido dela. Ela temeu por sua vida e não soube o que fazer, porém refletiu que não a veriam na cozinha do castelo. Voltou ao trabalho com um suspiro e começou a limpar um enorme peixe que seria cozido para o jantar dos nobres. Enquanto o limpava, viu algo brilhante nas entranhas do peixe, e o que acham que ela encontrou? Ora, lá estava o anel do barão, aquele mesmo que ele atirara pelo penhasco em Scarborough. Ela ficou muito contente ao ver aquela pequena joia, podem ter certeza. Então cozinhou o peixe da melhor maneira possível e o entregou para que o servissem no jantar.

Quando o peixe chegou à mesa, os convidados o apreciaram tanto que perguntaram ao seu anfitrião quem o cozinhara. Ele respondeu que não sabia, mas chamou os empregados:

– Chamem a cozinheira que preparou esse maravilhoso peixe.

Eles desceram à cozinha e disseram à jovem que a chamavam no salão; ela se lavou e se arrumou, colocou o anel do barão no dedo e subiu para o salão.

Quando os comensais viram uma cozinheira tão jovem e linda, ficaram surpresos. Mas o barão mostrou-se irritado e muito mal-humorado, e parecia pronto a praticar uma violência contra a menina. Então ela se aproximou dele com a mão estendida para que todos pudessem ver a joia, tirou o anel do dedo e o colocou na sua frente, sobre a mesa. Por fim o barão entendeu que ninguém podia lutar contra o destino. Ele a fez se sentar e anunciou para todos os presentes que aquela era a legítima esposa de seu filho. Levou os dois para seu castelo, e todos viveram felizes para sempre.

O ninho da pega

Era uma vez, quando os porcos faziam versos,
E os macacos mascavam tabaco,
E as galinhas usavam rapé para serem duronas,
E os patos faziam quac, quac, quac, ó!...

Todos os pássaros do céu procuraram a pega e pediram que ela os ensinasse a construir ninhos, porque a pega é o pássaro que melhor os constrói. Então ela colocou todos os pássaros à sua volta e começou a ensinar como fazer. Em primeiro lugar, pegou um pouco de lama e fez uma espécie de bolo redondo com ela.

– Oh, então é assim que se faz! – disse o sabiá e voou para longe. E portanto é assim que os sabiás constroem seus ninhos.

Então a pega arranjou alguns gravetos e os arrumou em volta da lama.

– Agora já sei tudo a respeito de fazer ninhos – disse o melro e voou para longe. E é assim que até hoje os melros fazem seus ninhos.

Então a pega colocou mais uma camada de lama sobre os gravetos.

– Oh, é óbvio! – exclamou a sábia coruja e voou. E as corujas nunca fizeram ninhos melhores desde então.

Depois disso a pega pegou mais gravetos e os juntou em volta da parte externa.

– É isso mesmo! – vibrou o pardal e lá se foi voando. Por isso, até hoje os pardais fazem ninhos bem desmazelados.

Então a pega Madge foi buscar algumas penas e estofou e arrumou o ninho de modo muito confortável.

– Gostei – disse o estorninho, e lá se foi voando. E os estorninhos são conhecidos pelos seus ninhos muito confortáveis.

Então assim continuou, e cada pássaro levava consigo algum conhecimento sobre como construir um ninho, mas nenhum deles esperou pela explicação final. Enquanto isso, a pega Madge continuou trabalhando, trabalhando, sem olhar para cima, até perceber que o único pássaro que restara fora a rolinha, que não prestara atenção alguma o tempo todo, mas que ficava repetindo seu pio tolo: "Pegue dois, docinho, pegue do-o-o-is".

Por fim, a pega a ouviu na hora em que colocava mais um graveto. Então disse:

– Um chega.

Mas a rolinha continuou piando:

– Pegue dois, docinho, pegue do-o-o-is.

Então a pega se aborreceu e disse:

– Já disse que um é suficiente.

Mas mesmo assim a rolinha piou:

– Pegue dois, docinho, pegue do-o-o-is.

Finalmente a pega olhou para cima e não viu mais ninguém por perto a não ser a rolinha tola. Ficou zangada de verdade e voou para longe, recusando-se a ensinar de novo os pássaros a fazerem ninhos. E é por isso que diferentes pássaros constroem diferentes tipos de ninhos.

Kate Quebra-Nozes

Era uma vez um rei e uma rainha, como acontecia em muitas terras. O rei tinha uma filha, Anne, e a rainha tinha outra filha chamada Kate, mas Anne era muito mais bonita do que a filha da rainha, embora as duas se amassem como verdadeiras irmãs. A rainha tinha inveja da filha do rei e começou a tramar para acabar com a beleza dela. Então foi se aconselhar com a mulher que cuidava das galinhas, que lhe disse para mandar a moça falar com ela na manhã seguinte, em jejum.

Então, na manhã seguinte, bem cedo, a rainha disse para Anne:

– Minha cara, vá procurar a mulher que cuida das galinhas no vale e peça-lhe alguns ovos.

Anne obedeceu, mas, ao passar pela cozinha, viu uma crosta de pão, pegou-a e começou a comê-la enquanto seguia seu caminho.

Quando chegou até a mulher que cuidava das galinhas, pediu os ovos, como a rainha dissera; a mulher respondeu:

– Erga a tampa daquela panela ali e olhe o que há dentro dela.

A menina assim fez, mas nada aconteceu.

– Volte para a sua querida rainha e diga-lhe para manter a porta da sua despensa bem fechada – disse a mulher.

Então Anne voltou para a rainha e contou o que a mulher das galinhas lhe dissera. A rainha soube então que isso significava que a menina comera antes de sair e tratou de vigiá-la. Na manhã seguinte, de novo mandou-a sair sem comer nada. A princesa viu alguns aldeões colhendo ervilhas à beira da estrada e, como era muito gentil e bondosa, conversou com eles e pegou um punhado de ervilhas, que foi comendo pelo caminho.

Quando chegou ao seu destino, a mulher das galinhas disse:

– Erga a tapa da panela e verá.

Anne obedeceu, mas nada aconteceu. Então a mulher das galinhas ficou muito zangada e disse à princesa:

– Diga à sua querida rainha que a água da panela não ferverá se o fogo se apagar.

Então Anne foi para casa e repetiu isso para a rainha.

No terceiro dia, a rainha acompanhou a menina pessoalmente até a mulher das galinhas. E dessa vez, quando Anne ergueu a tampa da panela, sua linda cabeça caiu e dela brotou uma cabeça de ovelha.

Então a rainha ficou muito satisfeita e voltou para casa.

Entretanto, sua própria filha, Kate, pegou um precioso tecido de linho, embrulhou a cabeça de ovelha de sua irmã e a levou pela mão, e ambas saíram em busca de aventuras. Caminharam, caminharam, caminharam, até que chegaram a um castelo. Kate bateu à porta e pediu abrigo por uma noite para si e para sua irmã doente. Elas entraram e descobriram que era o castelo de um rei que tinha dois filhos; um deles estava doente, quase morrendo, e ninguém conseguia curá-lo. E o curioso era que, fosse lá quem o velasse à noite, nunca mais era visto; então o rei oferecera um monte de moedas de prata para a pessoa que salvasse seu filho. Acontece que Kate era uma menina muito corajosa e se ofereceu para tomar conta do príncipe doente.

Até meia-noite tudo correu bem. Entretanto, quando soaram as doze badaladas, o príncipe doente se levantou, vestiu-se e desceu as escadas pé ante pé. Kate o seguiu, mas ele não parecia notá-la. Ele foi para a estrebaria, selou seu cavalo, chamou seu cão de caça, pulou sobre a sela, e Kate saltou atrás, sem fazer barulho. Lá foram o príncipe e Kate pelas matas verdes, e, enquanto passavam, Kate ia colhendo nozes das árvores e enchendo o bolso de seu avental com elas. Cavalgaram muito, até que alcançaram uma colina verde. Ali o príncipe puxou as rédeas e disse:

– Abra, abra, colina verde, e deixe o jovem príncipe entrar com seu cavalo e seu cão.

E Kate acrescentou:

– E sua dama atrás.

Imediatamente a colina verde se abriu, e eles passaram. O príncipe entrou em um magnífico salão feericamente iluminado, e muitas lindas fadas o cercaram e o conduziram para a pista de dança. Enquanto isso, Kate, sem ser notada, escondeu-se atrás da porta. Ali viu o príncipe dançar, dançar, dançar até que, exausto, se deixou cair sobre um sofá. Então as fadas vieram abaná-lo até ele se levantar e continuar a dançar.

Por fim o galo cantou, e o príncipe se apressou a montar no seu cavalo; Kate pulou atrás, e rumaram para casa. Quando o sol da manhã surgiu, entraram no quarto do príncipe e lá encontraram Kate sentada junto à lareira, quebrando suas nozes. Kate disse que o príncipe passara bem a noite, mas que ela não o velaria mais a não ser que lhe dessem um monte de moedas de ouro.

A segunda noite se passou como a primeira. O príncipe se levantou à meia-noite, cavalgou até a colina verde e dançou com as fadas. Kate o acompanhou, colhendo nozes enquanto passavam pela floresta, e dessa vez não ficou tomando conta do príncipe, pois sabia que ele iria dançar, dançar, dançar sem parar. Porém viu uma fadinha brincando com uma varinha mágica e ouviu por acaso uma das outras fadas dizer:

– Três batidas daquela varinha fariam a irmã doente de Kate voltar a ser bonita como era.

Então Kate rolou nozes até onde estava a pequena fadinha, e foi rolando mais nozes, até que a fadinha, que ainda era um bebê, começou a dar passinhos em busca das nozes e deixou cair a varinha. Kate a pegou e a guardou no seu avental. Quando o galo cantou, cavalgaram de volta para casa como antes, e, assim que Kate chegou ao castelo, correu para seu quarto e tocou Anne três vezes com a varinha mágica. Então, a horrível cabeça de ovelha caiu, e Anne voltou a ser a moça bonita de sempre.

Na terceira noite, Kate concordou em velar, contanto que se casasse com o príncipe doente. Tudo aconteceu como nas noites anteriores. Dessa vez a fadinha estava brincando com um passarinho, quando Kate ouviu uma das outras fadas dizer:

— Três mordidas naquele passarinho deixariam o príncipe tão sadio quanto era antes.

Kate rolou todas as nozes que tinha para a fadinha, que logo largou o passarinho, e Kate o pegou e o guardou no avental.

Quando o galo cantou, ela e o príncipe partiram de novo, mas, em vez de quebrar suas nozes, como costumava fazer ao chegar ao castelo, dessa vez Kate arrancou as penas do passarinho e o cozinhou. Logo um aroma muito gostoso se elevou da comida.

— Oh! — exclamou o príncipe doente —, gostaria de provar essa ave.

Então Kate lhe deu um pedaço da ave, que ele mordeu, e o príncipe se ergueu no cotovelo. Dali a pouco pediu de novo:

— Oh, se pudesse provar mais dessa ave!

Então Kate lhe deu outra porção, que ele mordeu, e o príncipe se sentou na cama. Ainda pediu outra vez:

— Oh! Se eu pudesse provar pela terceira vez dessa ave!

E Kate lhe deu a terceira porção, que ele mordeu. Então o príncipe se levantou da cama, curado, vestiu-se e sentou-se junto à lareira. E, quando as pessoas chegaram na manhã seguinte, encontraram Kate e o jovem príncipe quebrando nozes juntos. Enquanto tudo isso acontecia, o irmão do príncipe vira Anne e se apaixonara por ela, como costumava acontecer quando os homens viam seu rosto angelical.

Então o filho doente do rei se casou com a irmã sadia, e o filho sadio se casou com a irmã doente, e todos viveram felizes para sempre, e a dor entrou por uma porta e saiu pela outra, quem quiser que conte outra.

O rapaz frio de Hilton

Há muito tempo, no Castelo de Hilton morava um Brownie que era mais do contra do que tudo que se conhece. À noite, depois que os criados iam dormir, virava tudo de cabeça para baixo, colocava açúcar nos saleiros, pimenta na cerveja e fazia todo tipo de travessuras. Derrubava as cadeiras, punha as mesas com as pernas para cima, apagava as lareiras e aprontava poucas e boas. Mas às vezes estava de bom humor, e então você me perguntará: "O que é um Brownie?".

Oh, é uma espécie de bicho-papão, mas não tão cruel como o Redcap, um gnomo maligno e sanguinário. O quê?! Você não sabia o que era um bicho-papão ou um Redcap?! Ai, meu Deus! O que vai ser do mundo? É claro que um Brownie é uma coisinha engraçada, meio homem, meio duende, de orelhas pontudas e peludo. Quando se enterra um tesouro, devem-se espargir por cima gotas de sangue de um cabrito ou cordeiro novo sacrificado, ou, melhor ainda, enterrar o animal com o tesouro, e um Brownie tomará conta dele para você, assustando qualquer outro que se aproximar.

Onde eu estava? Ah, como estava dizendo, o Brownie do Castelo de Hilton fazia travessuras, mas, se as criadas deixassem uma tigela de creme para ele ou um bolo coberto de mel, ele limparia coisas para elas e deixaria tudo arrumado na cozinha. Então, certa noite, quando os criados haviam parado de trabalhar, já ouviram um barulho na cozinha e, dando uma espiada, viram o Brownie balançar-se para a frente e para trás em uma corrente de arame fino, lamentando-se:

> *Ai de mim! Ai de mim!*
> *A noz ainda não*
> *Caiu da árvore*
> *Que faz a floresta crescer,*
> *Que faz o berço*
> *Que embala a criança,*
> *Que crescerá para ser um homem,*
> *Que irá me matar,*
> *Ai de mim! Ai de mim!*

Então ficaram com pena do pobre Brownie e perguntaram para a mulher que cuidava das galinhas o que fazer para mandá-lo embora.
– É muito fácil – disse a mulher, e explicou que, quando o Brownie é pago pelos seus serviços com algo que não seja perecível, some na mesma hora.
Então algumas criadas fizeram um manto tingido de verde e também um capuz, colocaram junto à lareira e ficaram observando. Ao chegar, o Brownie viu o manto e o capuz, vestiu-os e ficou xeretando por ali, dançando em uma perna só e dizendo:

> *Peguei seu manto, peguei seu capuz;*
> *O rapaz frio de Hilton não aprontará mais.*

E, assim dizendo, desapareceu e nunca mais foi visto ou ouvido por ali depois disso.

O asno, a mesa e o galho

Um rapaz chamado Jack certa vez estava tão infeliz em casa, em razão dos maus-tratos de seu pai, que resolveu fugir e procurar fortuna no vasto mundo.

Ele correu, correu, correu até se cansar, e então esbarrou em uma velhinha que recolhia gravetos. Ele estava muito sem fôlego para pedir desculpas, mas a mulher tinha bom gênio e disse que ele parecia ser um bom rapaz, então o levaria para ser seu empregado e lhe pagaria bem por isso. O rapaz concordou, pois estava faminto, e a velha o levou até sua casa na floresta, onde Jack a serviu como empregado por doze meses e um dia.

Quando o ano passou, a velha o chamou e disse que tinha um bom pagamento para ele. Então lhe deu um asno que pegou no estábulo, e ele só teve que puxar as orelhas de Neddy para fazê-lo começar a zurrar – *ii óó*! E, quando o asno zurrou, de sua boca caíram seis *pence* de prata, moedas de meia coroa e guinéus de ouro.

O rapaz ficou muito contente com o pagamento; despediu-se, partiu e caminhou até chegar a uma taverna. Ali pediu do bom e do melhor para comer e beber e, quando o taverneiro se recusou a servi-lo antes de receber o pagamento adiantado, foi até o estábulo, puxou as orelhas do asno e recheou o bolso com dinheiro.

O taverneiro vira tudo isso de uma fenda na porta e, quando chegou a noite, ele substituiu o precioso Neddy do pobre rapaz por um de seus asnos. Então Jack, sem desconfiar da troca, partiu na manhã seguinte para a casa de seu pai.

Agora preciso lhes dizer que perto de sua casa morava uma pobre viúva com sua filha única. O rapaz e a moça eram namorados e se amavam muito; e, quando Jack reencontrou o pai e pediu para casar com ela, o pai disse:

– Não, até que tenha dinheiro suficiente para sustentá-la.

– Tenho, pai – disse o rapaz, e indo até o asno puxou suas longas orelhas; puxou, puxou, até que uma das orelhas se soltou e ficou na sua mão; porém o falso Neddy, embora zurrasse sem parar, não produziu nenhuma moeda de meia coroa ou guinéu. O pai pegou um forcado e bateu no filho, expulsando-o de casa. Garanto que Jack correu. Ah! Correu, correu, até que esbarrou em uma porta e a escancarou; era uma marcenaria.

– Você é um rapaz apresentável – disse o marceneiro. – Seja meu empregado por doze meses e um dia e lhe pagarei bem.

Então Jack concordou e serviu o marceneiro por um ano e um dia.

– Agora – disse o patrão após esse tempo –, eu lhe darei seu pagamento. – E lhe apresentou uma mesa, explicando que bastaria dizer isto: "Mesa, cubra-se", e na mesma hora ela ficaria coberta de uma enorme quantidade de comida e bebida.

Jack colocou a mesa nas costas e lá se foi com ela até chegar à mesma taverna.

– Está aí, taverneiro – gritou –, quero o melhor jantar que puder me dar hoje.

– Lamento, mas só tenho presunto e ovos.

– Presunto e ovos para mim?! – reclamou Jack. – Posso fazer melhor que isso... Venha, minha mesa, cubra-se!

Na mesma hora a mesa se cobriu com peru e salsichas, carneiro assado, batatas e verduras. O dono da taverna arregalou os olhos, mas nada disse.

Naquela noite, o taverneiro trouxe do sótão uma mesa muito parecida com a de Jack e trocou as duas. Jack, o ingênuo, na manhã seguinte colocou a mesa sem valor sobre as costas e a levou para casa.

– Agora, pai, posso casar com minha garota? – perguntou.

– Não, a menos que possa sustentá-la – replicou o pai.

– Olhe aqui! – exclamou Jack. – Pai, tenho uma mesa que faz tudo que peço.

– Deixe-me ver – disse o velho.

O rapaz colocou a mesa no meio da sala e pediu que se cobrisse; mas foi tudo em vão, a mesa permaneceu vazia. Com muita raiva, o pai pegou da parede a panela de ferver água e esquentou as costas do filho tanto que o rapaz saiu berrando de casa, e correu, correu, até que alcançou um rio e caiu na água.

Um homem o içou de lá e pediu que Jack o ajudasse a construir uma ponte sobre o rio. E como acham que iria fazer isso? Ora, colocando por cima do rio uma árvore tombada; então Jack subiu no topo da árvore e a forçou com o peso do seu corpo, de modo que, quando o homem, com sua pá, desenterrou as raízes da árvore, Jack e o topo caíram na margem mais afastada.

– Obrigado – agradeceu o homem –, vou pagar pelo que você fez. – Assim dizendo, arrancou um galho da árvore e com sua faca esculpiu um porrete. – Aí está! – exclamou. – Pegue este galho, e toda vez que você lhe disser "De pé, galho, bata nele", o galho irá derrubar qualquer um que o deixe zangado.

O rapaz ficou muito feliz por receber o galho, e então lá foi ele com o galho para a taverna, e, assim que o dono surgiu, Jack gritou:

– De pé, galho, bata nele!

Diante dessas palavras, o porrete voou de suas mãos e bateu nas costas do velho taverneiro e na sua cabeça, machucou seus braços, cutucou suas costelas, até que o homem caiu gemendo no chão; mesmo assim, o galho fustigou o homem caído, e Jack o deixou continuar até que recuperou o asno e a mesa que haviam sido roubados. Depois galopou para casa montado no asno, com a mesa nas costas e o galho na mão. Quando lá chegou, soube que seu pai morrera, então levou o asno para o estábulo e puxou suas orelhas até encher a manjedoura de dinheiro.

Em breve se espalhou pela cidade a notícia de que Jack retornara nadando em dinheiro, e todas as moças do lugar resolveram conquistá-lo.

— Agora — disse Jack — casarei com a moça mais rica do lugar; então amanhã, por favor, venham todas até a frente de minha casa com seu dinheiro nos aventais.

Na manhã seguinte, a rua estava lotada de moças com aventais cujos bolsos estavam cheios de ouro e prata. A namorada de Jack estava entre elas, mas não tinha nem ouro nem prata, apenas duas moedas de cobre, que era tudo que possuía.

— Vá para o lado, garota — disse Jack para ela com brusquidão. — Você não tem prata nem ouro para oferecer; afaste-se das outras.

Ela obedeceu com lágrimas nos olhos, e, quando as lágrimas caíram, transformaram-se em diamantes que encheram os bolsos de seu avental.

— De pé, galho, bata nelas! — ordenou Jack; então o galho se ergueu e, correndo pelas fileiras de moças, bateu na cabeça de todas e as deixou desmaiadas no chão. Jack pegou todo o dinheiro delas e jogou-o no colo de seu verdadeiro amor.

— Agora, menina — exclamou —, você é a mais rica, e me casarei com você.

O unguento das fadas

A sra. Goody era uma enfermeira que cuidava dos doentes e de bebês. Certa vez foi acordada à meia-noite, e, quando desceu, ela viu um estranho homenzinho feio e vesgo, que lhe pediu que fosse ver sua esposa, a que estava doente demais para cuidar do seu bebê. A sra. Goody não gostou da aparência do velho, mas trabalho é trabalho, e então juntou suas coisas e foi com ele. Ele a colocou sobre um grande cavalo negro como carvão, de olhos flamejantes, que estava parado à porta, e logo galopavam com uma rapidez enorme; a sra. Goody agarrava-se ao velhote, com medo da morte sombria.

Galoparam, galoparam, até que por fim pararam à porta de um chalé. Então apearam, entraram e encontraram a boa mulher na cama, com as crianças brincando à sua volta, e o bebê, um menino saudável e buliçoso, ao lado dela.

A sra. Goody pegou o bebê, que era o menino mais lindo que podia existir. A mãe, ao entregar o bebê para ela, deu-lhe uma caixa com unguento e disse que esfregasse os olhos dele com aquilo assim que ele os abrisse. Quando o menino começou a abrir os olhos, a sra. Goody viu que ele era estrábico como o pai. Então pegou o unguento e esfregou as duas pálpebras do bebê com ele, mas não pôde deixar de se perguntar para que servia aquilo, pois nunca vira ninguém fazer tal coisa antes. Quando percebeu que os outros não estavam olhando e não prestavam atenção, ela esfregou sua própria pálpebra direita com o unguento.

Assim que fez isso, tudo pareceu mudar ao seu redor: o chalé ficou elegantemente mobiliado, a mãe se transformara em uma linda dama, vestida de seda branca. O bebezinho era ainda mais bonito que antes, e suas roupas eram feitas com uma espécie de gaze prateada, mas os irmãozinhos e irmãzinhas em volta da cama eram diabinhos de nariz achatado e orelhas pontudas, que faziam caretas uns para os outros e coçavam o alto da cabeça. De vez em quando puxavam as orelhas da mãe doente com suas patas longas e cabeludas. Na verdade, faziam toda sorte de maldades; então a sra. Goody entendeu que estava na casa de duendes e fadinhas. Mas nada disse a ninguém e, assim que a senhora melhorou o suficiente para cuidar do bebê, pediu que o velhote a levasse de novo para sua casa. Então ele deu a volta ao chalé com o cavalo negro como carvão e olhos de fogo, e lá se foram, tão rápido como na vinda ou até mais depressa, até que chegaram à casa da sra. Goody, onde o velho estrábico a ajudou a desmontar e a deixou, agradecendo-lhe com bastante educação e pagando-lhe mais do que ela recebera por esses serviços antes.

Acontece que o dia seguinte era dia de mercado. Como a sra. Goody estivera ausente de casa, precisava de muitas coisas, e lá foi ela às compras. Enquanto comprava o que queria, quem foi que viu senão o velhote estrábico que a conduzira no cavalo negro como carvão? E vocês sabem o que ele estava fazendo? Ora, ia de barraca em barraca roubando coisas de cada uma, aqui uma fruta, ali uns ovos, e assim por diante; e ninguém parecia perceber.

A sra. Goody achou que não era da sua conta interferir, porém refletiu que gostaria que o homem soubesse que ela vira o que ele fazia de errado. Então caminhou até o homenzinho, fez uma cortesia e disse:

– Bom dia, senhor, espero que sua boa esposa e o pequenino estejam bem...

Mas não pôde terminar o que dizia, porque o velhote engraçado recuou, surpreso, e perguntou para ela:

– Quê! A senhora está me vendo hoje?

– Vê-lo? – ela respondeu. – Ora, é claro que sim, tão claramente como o sol brilha no céu, e mais ainda – continuou –, vejo também que está ocupado furtando.

– Ah, a senhora vê demais – disse ele. – E agora, por favor, diga-me, com que olho vê tudo isso?

– Na verdade, com o olho direito – ela respondeu muito orgulhosa por ter surpreendido o homem em flagrante.

– O unguento! O unguento! – gritou o velho duende ladrão. – É só o que ganha por se meter no que não é da sua conta: não mais me verá.

E assim dizendo bateu no olho direito da sra. Goody, que não pôde vê-lo mais e, pior ainda, na mesma hora ficou cega daquele olho até o dia de sua morte.

O Poço do Fim do Mundo

Era uma vez, e em uma época muito boa, embora não fosse a minha nem a sua, nem a de ninguém mais, uma moça cuja mãe morrera e cujo pai se casara de novo. Sua madrasta a odiava porque a menina era mais bonita do que ela, e a tratava com muita crueldade. Costumava obrigá-la a fazer todo o trabalho de criada, e jamais lhe dava um minuto de paz. Por fim, certo dia, resolveu livrar-se da enteada de uma vez por todas; então entregou para a moça uma peneira e lhe disse:

– Vá, encha a peneira de água no Poço do Fim do Mundo e traga-me, ou ai de você.

A madrasta pensava que a moça jamais encontraria o Poço do Fim do Mundo e, caso o encontrasse, como traria de volta para casa uma peneira cheia de água?

A menina começou sua viagem e perguntou a todo mundo que encontrava onde ficava o Poço do Fim do Mundo. Mas ninguém sabia, e ela não sabia o que fazer, quando uma velhinha engraçada e muito curvada lhe disse onde ficava e como chegar até lá. A moça fez o que a velhinha lhe disse, e por fim chegou ao Poço do Fim do Mundo. Mas, quando mergulhou a peneira na água muito, muito fria, a água escoou. A moça tentou e tentou de novo, mas todas as vezes acontecia o mesmo, e por fim ela se sentou e chorou, como se seu coração fosse se partir.

De repente escutou um coaxar, ergueu os olhos e viu uma grande rã que a fitava com os olhos esbugalhados e lhe perguntava:

– O que houve, queridinha?

– Oh, meu Deus, oh, meu Deus – choramingou a moça –, minha madrasta me enviou para tão longe a fim de encher esta peneira com água do Poço do Fim do Mundo, e não consigo enchê-la, por mais que tente.

– Escute bem – disse a rã –, se prometer fazer o que eu lhe disser durante uma noite inteira, direi como poderá encher a peneira com água.

Então a moça concordou, e a rã disse:

Vede com musgo e coloque barro,
E a peneira levará a água.

Depois deu um salto e pulou para dentro do Poço do Fim do Mundo.

Então a menina olhou em volta à procura de musgo e, ao encontrar, forrou o fundo da peneira com ele, espalhou por cima um pouco de barro e depois mergulhou a peneira mais uma vez no Poço do Fim do Mundo; dessa vez a água não escoou, e ela se virou para ir embora.

Nesse instante, a rã pôs a cabeça para fora do Poço do Fim do Mundo e disse:

– Lembre-se de sua promessa.

– Está bem – respondeu a moça, pensando: "Que mal uma rã pode me fazer?".

Então voltou para a casa com a peneira cheia de água do Poço do Fim do Mundo. A madrasta ficou furiosa, mas nada disse.

Naquela mesma noite ouviram uma batida na parte de baixo da porta, e uma voz gritou:

Abra a porta, minha corça, meu coração,
Abra a porta, minha querida;
Lembre-se das palavras que trocamos
Na campina junto ao Poço do Fim do Mundo.

– Quem pode ser? – perguntou em voz alta a madrasta, e a moça contou-lhe tudo e também o que prometera à rã.

– As moças devem manter suas promessas – disse a madrasta. – Vá abrir a porta agora mesmo – ordenou, e ficou contente porque a enteada teria que obedecer a uma rã nojenta.

Então a garota foi abrir a porta, e lá estava a rã do Poço do Fim do Mundo, que pulou, pulou, pulou, até alcançar a moça e dizer:

Ponha-me sobre os joelhos, minha corça, meu coração;
Ponha-me sobre os joelhos, minha querida;
Lembre-se das palavras que trocamos
Na campina junto ao Poço do Fim do Mundo.

Mas a moça recusou, até que a madrasta exclamou rispidamenete:

– Levante-a já, sua petulante! As moças devem manter suas promessas!

Então, por fim, a moça colocou a rã no colo, que ficou ali um pouco, até dizer:

Dê-me o jantar, minha corça, meu coração;
Dê-me o jantar, minha querida;
Lembre-se das palavras que trocamos
Na campina junto ao Poço do Fim do Mundo.

A moça não se importou de fazer algo tão simples, então pegou uma tigela com leite e pão e alimentou a rã. E, quando a rã terminou, disse:

Vá comigo para a cama, minha corça, meu coração;
Vá comigo para a cama, minha querida;
Lembre-se das palavras que trocamos
Na campina junto ao Poço do Fim do Mundo.

Porém a moça recusou, até que a madrasta interferiu de novo:
– Faça o que prometeu, menina; as moças precisam manter suas promessas. Faça o que lhe pedem ou sairá desta casa, você e sua rãzinha.

Então a moça levou a rã para a sua cama e a manteve o mais longe possível de si. Acontece que, assim que o dia raiou, o que disse a rã?

Corte a minha cabeça, minha corça, meu coração;
Corte a minha cabeça, minha querida;
Lembre-se das palavras que trocamos
Na campina junto ao Poço do Fim do Mundo.

De início a moça recusou, pois se lembrou do bem que a rã fizera por ela no Poço do Fim do Mundo. Mas, quando a rã repetiu as mesmas palavras com insistência, a moça foi buscar um machado e cortou a cabeça do bichinho, e – oh, imaginem, diante dela surgiu um jovem e belo príncipe que lhe contou que fora encantado por um mago mau e que nunca o feitiço seria quebrado até que uma moça obedecesse a seus pedidos por uma noite inteira e cortasse sua cabeça ao final.

A madrasta ficou muito surpresa quando viu o jovem príncipe no lugar da rã e, nada feliz, podem crer, quando o príncipe lhe disse que iria se casar com sua enteada porque ela o livrara do feitiço. Então eles se casaram e partiram para morar no castelo do rei, pai do príncipe, e tudo que restou para consolar a madrasta foi que sua enteada casara com um príncipe por causa dela.

Amo de todos os amos

Certa vez uma moça foi à feira para procurar emprego como empregada. Por fim um senhor idoso e engraçado a contratou e a levou para sua casa. Quando ela chegou lá, o senhor lhe disse que tinha algo para lhe ensinar, porque na sua casa ele tinha nomes especiais para as coisas.

Perguntou à moça:

– Como vai me chamar?

– Patrão ou senhor, ou como desejar – ela respondeu.

E ele disse:

– Deve me chamar de "amo de todos os amos". E como chamará isto? – perguntou ele, apontando para a cama.

– Cama ou sofá, ou como lhe agradar – ela respondeu.

– Não, isto é meu "molusco". E como chama isto? – perguntou ele, apontando para suas calças.

– Calções ou calças, ou como lhe agradar.

– Deve chamar de "busca-pés e bombinhas". E como chama isso? – perguntou, apontando o gato.

– Gato ou bichano, ou como lhe agradar.

– Deve chamá-lo de "manta de cara branca". E agora isso – disse ele, mostrando a lareira. – Qual é o nome?

– Fogo ou chama, ou como lhe agradar.

– Deve chamar de "galo quente". E o que é isso? – continuou, apontando para a água.

– Água ou líquido para molhar, ou como preferir.

– Não, o nome é "lago pequeno". Como chama isto? – perguntou, apontando para a casa.

– Casa ou chalé, ou como desejar.

– Deve chamar de "montanha do topo alto".

Naquela mesma noite, a empregada acordou seu amo, muito assustada.

– Amo de todos os amos, saia de seu molusco e ponha seus busca-pés e bombinhas, porque a manta de cara branca está com uma faísca do galo quente no rabo, e, a menos que o amo de todos os amos pegue um pouco do lago pequeno, a montanha do topo alto ficará toda em galo quente. – É isso aí.

As três cabeças do poço

Muito antes de Artur e os Cavaleiros da Távola Redonda, reinava no leste da Inglaterra um rei que mantinha sua corte em Colchester. Em meio a toda a sua glória, sua rainha morreu, deixando uma filha única de cerca de quinze anos de idade que, por sua beleza e bondade, era muito admirada por todos os que a conheciam.

Mas, quando o rei ouviu falar de uma senhora que também tinha uma filha única, resolveu se casar com ela por causa das suas riquezas, embora ela fosse velha, feia, de nariz recurvado e corcunda. Sua filha tinha uma pele amarelada, era desleixada, invejosa e mau-caráter; em resumo, era muito parecida com a mãe.

Em poucas semanas, escoltado pela nobreza e pela aristocracia, o rei levou sua futura esposa deformada para o castelo, onde o casamento foi realizado. Mãe e filha não estavam havia muito tempo na corte e logo puseram o rei contra sua própria filha bonita, por meio de intrigas. Tendo perdido o amor do pai, a jovem princesa se cansou da corte e, certo dia, encontrando o pai no jardim, implorou com lágrimas nos olhos que ele a deixasse partir e procurar seu próprio destino. O rei consentiu e ordenou que a nova esposa lhe desse o que ela desejasse para a viagem.

A princesa procurou a rainha, que lhe deu apenas uma sacola de lona com pão escuro, um queijo duro e uma garrafa de cerveja, o que era um dote miserável para a filha de um rei. Mas a princesa aceitou, agradeceu e começou sua jornada, passando por pomares, bosques e vales, até que por fim avistou um velho sentado sobre uma pedra à entrada de uma caverna, e ele lhe perguntou:

– Bom dia, linda donzela, por que tanta pressa?

– Vovozinho – disse ela –, vou em busca de minha fortuna.

– O que leva na sacola e na garrafa?

– Na sacola tenho pão e queijo, e na garrafa apenas um pouco de boa cerveja. Aceita?

– Sim – ele respondeu –, com muito gosto.

Então a dama tirou da sacola suas provisões e as ofereceu de boa vontade. O velho aceitou, agradeceu muito e disse:

– À sua frente há uma sebe espessa e espinhosa pela qual não poderá passar, mas pegue esta varinha na mão, bata nela três vezes e diga "Por favor, sebe, deixe-me passar", e ela se abrirá imediatamente. Então, mais adiante, encontrará um poço; sente-se na beirada, e dele irão emergir três cabeças douradas. E, seja o que lhe pedirem, faça.

Prometendo obedecer ao velho, ela se despediu. Chegando à sebe, usou a varinha, e a sebe se abriu e a deixou passar; então, chegando ao poço, mal se sentara na borda quando uma cabeça dourada emergiu, cantando:

Lave-me e penteie-me,
E abaixe-me com cuidado,
E coloque-me ao lado para secar,
Para que esteja bonita
Quando alguém passar.

– Está bem – disse a princesa e, pegando a cabeça no colo, penteou-a com um pente de prata e depois a colocou junto a uma rampa com prímulas. Então uma segunda cabeça emergiu e depois uma terceira, cantando as mesmas palavras que a primeira. A princesa fez o mesmo com essas cabeças também e depois, tirando da sacola o pouco que sobrara de seus suprimentos, sentou-se para comer.

Então as cabeças perguntaram umas para as outras:

– Que encantos lançaremos sobre essa donzela que nos tratou com tanta bondade?

A primeira disse:

– Concedo-lhe o dom de ser tão bela que encante o príncipe mais poderoso do mundo.

A segunda disse:

– Concedo-lhe o dom de possuir uma voz tão doce que supere a do rouxinol.

A terceira cabeça disse:

– Meu dom não será menos importante, já que ela é filha de um rei; desejo que ela tenha muita sorte e que se transforme na rainha do mais poderoso monarca reinante.

Então a princesa colocou as três cabeças dentro do poço de novo e assim continuou sua jornada. Não andara muito quando avistou um rei caçando no parque com seus nobres. Ela o teria evitado, mas o rei, ao vê-la, aproximou-se e perguntou-lhe seu nome. E, diante de sua beleza e de sua linda voz, apaixonou-se perdidamente, e logo a convenceu a se casar com ele.

Quando o rei descobriu que ela era a filha do rei de Colchester, ordenou que aprontassem algumas carruagens imediatamente para fazer uma visita ao seu sogro. A carruagem na qual o rei e a rainha viajavam era adornada com joias de ouro. O rei, pai da moça, de início ficou surpreso com a sorte que a filha tivera, até que o jovem rei lhe contou tudo o que acontecera. Grande foi a alegria de todos na corte, com exceção da rainha e de sua filha, que tinha um pé torto; ambas estavam prestes a explodir de inveja. As festas e danças de júbilo continuaram por muitos dias. Então, por fim, os noivos voltaram para casa com o dote que o pai da princesa lhes deu.

A princesa corcunda, vendo como sua irmã tivera sorte ao procurar fortuna, quis fazer o mesmo; então avisou à sua mãe sobre sua partida. Todos os preparativos foram feitos, e ela foi presenteada com ricos vestidos, açúcar, amêndoas e guloseimas em grandes quantidades, e uma grande garrafa de vinho de Málaga. Assim munida, ela percorreu a mesma estrada que a irmã e, chegando perto da caverna, o velho lhe perguntou:

– Jovem, por que corre tanto?

– O que você tem a ver com isso? – ela replicou.

– Então – ele prosseguiu –, o que leva na sacola e na garrafa?

A princesa respondeu:

– Coisas boas que não são da sua conta.

– Pode me dar um pouco dessas coisas? – pediu o velho.

– Não, nem um pedacinho e nem uma gota, a menos que assim você se engasgasse.

O velho franziu a testa e praguejou:

– Má sorte espera por você!

Prosseguindo sem lhe dar muita atenção, ela chegou até a sebe, examinou-a e tentou passar, mas a sebe se fechou, e os espinhos penetraram em sua pele; portanto, foi com enorme dificuldade que a princesa passou e conseguiu seguir viagem. Agora toda ensanguentada, procurou por água para se lavar e, olhando em volta, viu o poço. Sentou-se na borda, e uma das cabeças emergiu, cantando: *"Lave-me e penteie-me, e abaixe-me com cuidado..."*. Mas, antes de continuar como antes fizera, a princesa a golpeou com a garrafa, respondendo:

– Leve isso em vez do banho.

Então emergiu a segunda cabeça e depois a terceira, e também essas receberam o mesmo tratamento agressivo. Diante de tal comportamento, as cabeças conversaram entre si sobre que maldições poderiam lançar sobre a princesa.

A primeira ordenou:

– Que tenha lepra no rosto.

A segunda acrescentou:

– Que sua voz seja tão áspera quanto taquara rachada.

A terceira disse:

– Que ela só consiga como marido um pobre gatuno do interior.

A princesa prosseguiu até chegar a uma cidade, e, como era dia de mercado, as pessoas começaram a olhá-la. Vendo uma cara tão feia e ouvindo uma voz tão esganiçada, todos se afastaram correndo, a não ser um pobre velho interesseiro. Pouco tempo antes ele consertara os sapatos de um eremita que, não tendo dinheiro para pagar, dera-lhe uma caixa com unguento para a cura da lepra e uma garrafa de bebida que curava a voz esganiçada. Então, pensando em fazer caridade em troca de alguns favores, o homem se aproximou da moça e perguntou quem ela era.

– Sou – ela disse – a enteada do rei de Colchester.

– Oh, que interessante! – disse o homem, muito feliz com aquela informação. – Se eu conseguir realizar uma cura total no seu rosto e melhorar sua voz, vai me aceitar como marido?

– Sim, meu amigo – ela respondeu –, de todo o meu coração!

Então ele aplicou os remédios que a deixaram bem em poucas semanas; depois disso eles se casaram e encetaram viagem para a corte de Colchester.

Quando a rainha descobriu que sua filha se casara com nada mais, nada menos que um pobre homem, enforcou-se de ódio. A morte da rainha agradou tanto ao rei, por se ver livre dela tão depressa, que ele presenteou o marido da enteada com cem libras para que deixasse a corte com sua esposa e se estabelecesse em uma parte longínqua do reino, onde ele viveu muitos anos consertando sapatos com a ajuda de sua esposa, que fiava a linha para ele.